W9-AYF-176

El libro de las pequeñas revoluciones

ELSA PUNSET

imago mundi

El libro de las pequeñas revoluciones

ELSA PUNSET

Ediciones Destino   Colección Imago Mundi   **Volumen 280**

© Editorial Planeta, S. A. (2016)
Ediciones Destino es un sello de Editorial Planeta, S.A.
Diagonal, 662-664. 08034 Barcelona
www.edestino.es
www.planetadelibros.com

© de la maqueta y las ilustraciones: Antònia Arrom / www.dandelia.net

De las fotografías del interior: Ron Finley: © Walter McBride/WireImage;
Ken Robinson: © Joe Scarnici/Getty Images; Carl Jung: © Corbis/Cordon
Press; Elizabeth Kübler-Ross: © AP Photo/Gtres online; Elizabeth Gilbert:
© Vallery Jean - Getty Images; Steve Jobs: © Shaun Curry/AFP/Getty Images.

Primera edición: marzo de 2016
Segunda impresión: abril de 2016

ISBN: 978-84-233-5067-4]
Depósito legal: B. 2.239-2016
Impreso por Black Print
Impreso en España-Printed in Spain

El papel utilizado para la impresión de este libro es cien por cien libre de
cloro y está calificado como papel ecológico.

Índice
de contenidos

👕 BLOQUE 1: LO QUE ME PASA POR DENTRO

⚡ BLOQUE 2: CARA A CARA CON LAS EMOCIONES NEGATIVAS

☀ BLOQUE 3: CONOCERME, CRECER, VIVIR

🚶 BLOQUE 4: EL MUNDO QUE ME RODEA 🚶🚶🚶🚶

Prólogo

¡Pon tus emociones en forma!

Decía el escritor Oscar Wilde que todos estamos en las alcantarillas, pero que algunos miran a las estrellas. Me ha venido esta frase al recuerdo porque estoy pasando unos días en una isla donde las estrellas brillan exageradamente. Bajo este cielo estrellado, te sientes humilde y fugaz como la más pequeña de las constelaciones. Y también extrañamente sereno, porque te rodea algo inmenso, inmutable. No hace falta luchar, no hay nada que cambiar. Eres un destello de vida frágil en este planeta nuestro que el cosmólogo Carl Sagan describía como un punto pálido y azul en el cosmos.

Es curioso que los humanos vivamos atrapados en esa paradoja, la de vivir a caballo entre lo inmensamente grande y lo inmensamente pequeño. Esta noche se mezcla todo en mi cabeza, las estrellas deslumbrantes y los pensamientos fugaces. Estos últimos me preocupan más: uno a uno parecen inofensivos y, sin embargo, todos juntos conforman un guión interno que no calla nunca, ni cuando estamos dormidos. Puedo cerrar la puerta de casa y darle la espalda al firmamento, pero los pensamientos, generados por el oleaje de mis emociones me asedian sin remedio.

«Cuida tus pensamientos, porque se convertirán en tus palabras. Cuida tus palabras, porque se convertirán en tus actos. Cuida tus actos, porque se convertirán en tus hábitos. Cuida tus hábitos, porque se convertirán en tu destino», decía Ghandi. Pero ¿cómo domamos los pensamientos y las emociones?

Las generaciones anteriores, las de nuestros ancestros, centraban sus esfuerzos en la supervivencia física. Hemos aprendido a dedicar tiempo y esfuerzo a la higiene, a comer mejor, a protegernos del frío, a combatir enfermedades... Pero cuidar de las emociones parecía, hasta hace muy poco, un lujo biológico, una frivolidad, algo que no estaba directamente relacionado con la supervivencia física, el rendimiento profesional o creativo, o con nuestras habilidades para vivir y convivir.

Hoy, sin embargo, sabemos que el impacto de unas emociones y pensamientos bien cuidados es enorme en nuestra vida. Por ello, mejorar cualquier ámbito de nuestra vida implica cambiar la miríada de pequeños pensamientos, emociones y gestos rutinarios que marcan la senda de nuestra existencia, tejida por mil pequeñas elecciones, mil pequeñas revoluciones que poco a poco lo transforman todo. Es un proceso apasionante, una llave de libertad que nos empodera. Pero también requiere un grado notable de paciencia, madurez y valentía.

Por eso, este manojo de rutinas ha sido laboriosa y amorosamente recopilado para ti, querido lector. Para que tengas a mano inspiración y ayuda para cambiar tu vida a mejor, paso a paso. Porque hasta el último día de nuestra vida estamos programados para aprender y para cambiar.

Y como te acecharán a ratos el cansancio, la pereza, la desazón, la sensación de soledad, de ser una gota de agua en la inmensidad fría..., he salpicado estas páginas de personas como tú, buscadores pacientes que han creado o utilizado muchas de las pequeñas rutinas que tienes ahora entre tus manos. Algunas de estas personas sabias ya no están en la tierra, pero nos siguen enviando su luz, como hacen las estrellas en el universo aunque estén apagadas. Nos recuerdan que nada, ninguna gota de compasión y de valentía, se pierde. Que no pasa nada porque tropecemos y dudemos, nos equivoquemos y volvamos a empezar. La vida no es sencilla, porque no está hecha a nuestra pequeña y subjetiva medida. Qué reto tan extraordinario resulta intentar abrazarla y reconciliarla entera.

¿Qué rutina exprés necesitas hoy?

BLOQUE 1

LO QUE ME PASA POR DENTRO

«Solo hay un rincón en el universo que sabes que puedes mejorar, y ese eres tú.»

ALDOUS HUXLEY

👕 BLOQUE I: LO QUE ME PASA POR DENTRO

▶ Rutinas exprés solo para mí

R1. Recupera la serenidad en 1 minuto

R2. Hazte amigo de tu cuerpo

R3. Una caja para mimarme

R4. Y a ti, ¿quién te cuida?

R5. Un baño de naturaleza

R6. Respira

R7. Viaja sin moverte de casa

R8. Automasajes reconfortantes

R9. Encuentra tu centro

R10. Planifica un rato positivo

▶ Rutinas exprés para activarme

R11. ¡Date un baño de luz azul!

R12. Despertar con yoga

R13. Un delicioso desayuno energizante

R14. Risoterapia exprés

R15. Música para el optimismo

R16. Tonifica tu cerebro

R17. Sonríe aunque no tengas ganas

R18. Borra tu mal humor en noventa segundos

R19. Cumple una meta

R20. ¡Inspírate!

▶ Rutinas exprés para conocerme mejor

R21. Dibuja la rueda de tu salud integral

R22. El diario de tu estrés

R23. El tablero de los sueños

R24. La escritura expresiva

R25. Pon nombre a tus emociones

R26. Encuentra tu estrella polar

R27. La pregunta milagro

R28. ¿Quién soy realmente?

R29. Ser yo está bien

R30. Conversación con mi yo de noventa y nueve años

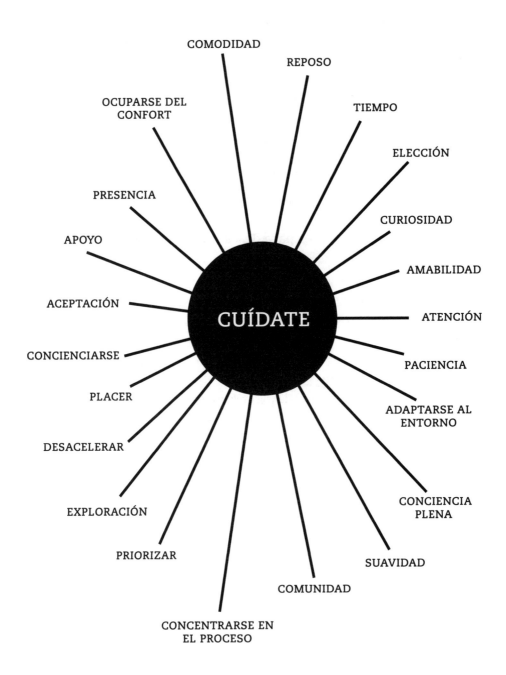

RUTINAS EXPRÉS SOLO PARA MÍ

¿Te preocupa que cuidar de tu propio bienestar sea algo egoísta? Las investigaciones revelan que si te sientes bien, probablemente seas más sociable, tengas mejor salud, mejores ingresos y relaciones más satisfactorias con las personas que te rodean.

No lo dudes, ¡tu bienestar importa! Cuidarte a ti mismo es el primer paso, el más indispensable, para tener una vida sana en todos los sentidos. Aquí encontrarás recursos no solo agradables, sino valiosos y necesarios. Bucea en ellos, pruébalos, deséchalos o adóptalos según tus necesidades únicas y cambiantes.

Recupera la serenidad en 1 minuto

Todos sentimos de vez en cuando una sensación pasajera de bienestar que nos relaja y da energía. ¿Sabes entrar en ese estado a voluntad? Quisiera compartir con vosotros una técnica muy sencilla para hacerlo... Compartidla, regaladla y disfrutadla, porque vais a aprender a desconectar y recuperar fuerzas en solo un minuto.

Los humanos tenemos una mente maravillosa, que nos sirve para aprender, crear, inventar y recordar, pero también tiene una cara oscura: agobiarse, preocuparse, atascarse en pensamientos poc o productivos o angustiosos... A menudo se compara la mente con un vaso de agua sucia. Cuando esta se agita el agua se vuelve turbia, pero cuando está quieta la arenilla se deposita en el fondo del vaso y el agua se ve clara. La práctica de la meditación es como dejar en reposo ese vaso de agua, que es tu mente. Puedes aprender a entrenar tu mente para que no se atasque en esa parte oscura. Para ello, vamos a aprender lo que el psicoterapeuta Martin Boronson llama «meditar en un momento». Meditar es sencillamente lograr que tu mente no divague hacia el futuro o el pasado, o se atasque en pensamientos negativos. Es enseñar a tu mente a estar en el presente, sin juzgar ni agobiarse, y no requiere un entrenamiento complicado. Los beneficios fisiológicos y mentales que nos reporta son muchos, y están muy documentados.

MEDITAR TIENE MUCHOS
BENEFICIOS FISIOLÓGICOS
Y MENTALES

Aunque esta técnica se llama «meditar en un momento», Martin Boronson recomienda aprenderla dedicándole un minuto, porque un momento es un espacio de tiempo tan indefinido que nos cuesta medirlo. En cambio, un minuto tiene un principio y un final muy claros, así que empezamos con un minuto.

LA RUTINA:

▶ Ponte cómodo y asegúrate de que nadie te moleste durante ese minuto. Siéntate recto, pero no rígido. Si quieres, imagina que de tu cabeza tira un hilo hacia arriba. Puedes poner las manos como prefieras, pero simétricas. En breve, cuando escuches una campana, empezará tu meditación de un minuto, y te pediré que te centres en tu respiración…

DURANTE 1 MINUTO, CÉNTRATE SOLO EN TU RESPIRACIÓN

▶ Sigue sentado con los ojos cerrados, centrado en tu respiración. Durante este minuto, vas a intentar que tu mente no se disperse con pensamientos, pero, si lo hace, es normal, simplemente vuelve a centrar tu mente, sin agobiarte, y todas las veces que haga falta, en tu respiración.

SI TU MENTE SE DISTRAE, VUELVE A CENTRARLA EN TU RESPIRACIÓN

▶ Ya puedes cerrar los ojos y sonreír o no, según te apetezca. ¿Estás cómodo? Pone una alarma suave o un temporizador y empieza. Cuando finaliza ese minuto, piensa:

¿Cómo te sientes? Si te ha costado centrar tu atención en la respiración no pasa nada. Poco a poco, a medida que practiques, se te hará cada vez más fácil.

PRACTICA UN MINUTO DE EMERGENCIA CUANDO ESTÉS ESTRESADO, AGOBIADO, ATASCADO…

Al principio, aplica esta técnica para meditar cuando estés estresado, enfadado, cuando te cueste dormir, cuando necesites una mente más clara o nuevas ideas, en todas aquellas ocasiones en que quieras recuperar sosiego y tranquilidad. Conseguirás cambios importantes en tu mente en solo ese minuto de emergencia.

Más adelante, con un poco de práctica, podrás llevarte tu minuto de meditación a lugares ruidosos, como el metro, un atasco, una reunión aburrida, un episodio de tensión en la oficina… Tu minuto de meditación se convertirá así en un minuto portátil, que te sentará muy bien. Y, poco a poco, verás como logras reducir ese minuto de meditación a un momento de meditación, que podrás utilizar cuando quieras, en cualquier sitio.

ASÍ LLENARÁS TU VIDA DE SERENIDAD, SIN OCUPAR LUGAR NI TIEMPO

Hazte amigo de tu cuerpo

¿CÓMO CUIDAS DE TU CUERPO?

La mayoría de nosotros tiende a cuidar de su cuerpo sin grandes miramientos; lo utilizamos mientras podemos, y si se cansa, engorda, envejece o enferma nos quejamos de que no nos sirve bien. Nuestra cultura llega incluso a sugerir que cuidar del cuerpo es algo indulgente, para débiles. Pero el neurólogo Rick Hanson nos recuerda que tratar mal al cuerpo tiene un alto precio, porque no estamos separados de este, y sus necesidades son las nuestras.

LA RUTINA:

Para comprender mejor cómo cuidas de tu cuerpo, vamos a plantearnos primero cuatro preguntas, con papel y lápiz si quieres:

▶ ¿Cómo te ha cuidado tu cuerpo a lo largo de estos años? Piensa en cómo te ha llevado de un lado a otro, cómo te ha dado placer, cómo te ha mantenido con vida...

▶ A cambio, ¿cómo cuidas tú a tu cuerpo? ¿Lo alimentas bien, lo ejercitas, lo llevas al médico, lo mimas? ¿O lo maltratas de alguna manera?

▶ ¿Eres crítico con tu cuerpo? Es decir, ¿te avergüenzas de él, te gustaría tener otro cuerpo?

▶ Y por último, si tu cuerpo fuese un buen amigo, ¿cómo le tratarías? ¿Qué harías diferente?

Ya tenemos claro cómo tratamos a nuestro cuerpo. El reto ahora es hacernos amigos de ese cuerpo, y para lograrlo vamos a pensar en cómo tratamos a un amigo. Piensa en un buen amigo, alguien cercano. ¿Qué haces con esa persona? ¿Cómo te sientes con él o con ella? Apúntalo.

APÚNTALO.

....

....

....

....

....

....

....

....

TÚ
ERES
TU CUERPO!

**CUÍDALO
RELÁJALO
MÍMALO**

...

SI TU CUERPO FUESE UN BUEN AMIGO, ¿CÓMO LE CUIDARÍAS?

Y ahora, imagina que vas a dedicar un día entero a cuidar de tu cuerpo como si fuese ese buen amigo al que tanto quieres. Imagina que deseas mostrar tu afecto a ese amigo, que cuando despierta le ayudas a salir de la cama, que eres amable con él o con ella, que no le metes prisa, que estáis conectados, a gusto...

A lo largo del día, dale agua a tu cuerpo como se la darías a un amigo, dale una buena ducha, trátalo con cariño, aunque estés conduciendo o cuidando de tus hijos o trabajando con otras personas...

¿Cómo te sentirías si hicieses esto durante todo un día?

Probablemente, dice el doctor Hanson, sentirías menos estrés y más placer y relajación. Y además, te darías cuenta de que tratar bien a tu cuerpo es tratarte bien a ti mismo. Porque tú eres tu cuerpo.

Una caja para mimarme[1]

Una caja para mimarte es un lugar para que guardes cosas —recuerdos, fotos, notas, la entrada de aquel concierto inolvidable...— que te proporcionan sensaciones felices y relajantes. En el fondo, esas cosas son beneficiosas para todo el mundo, pero pueden ser especialmente útiles para aquellos que lidian con la ansiedad o la depresión.

LA RUTINA:

Busca todos aquellos objetos o recuerdos que te evoquen momentos felices, que de un modo u otro te hagan sentir bien: viejos billetes de avión, tu película favorita, fotos de momentos felices, un cuaderno de notas (lleno de tus anotaciones, por supuesto), dibujos, velas, tus poemas favoritos, un libro para colorear... cualquier objeto o recuerdo que tenga un valor sentimental para ti.

Ahora llega lo más divertido, ¡decorar la caja! Puedes usar lo que tengas más a mano (¡las cajas de zapatos son fantásticas!) y echar a volar tu imaginación. Adorna tu caja con papel de periódico o con papel de regalo, flores prensadas, recortes de revistas... Cualquier adorno que te inspire. Deja que la decoración de la caja sea tan terpéutica como su contenido.

Después, reúne todos esos recuerdos y guárdalos en esa caja especial, esa caja creada y decorada por ti. Cuando necesites un poco de energía positiva, abre la tapa de tu caja para mimarte y deja que los buenos recuerdos sirvan de bálsamo para tu ánimo.

[1] Inspirado en la caja de cuidado personal creada por Zoey (html-forest.tumblr.com).

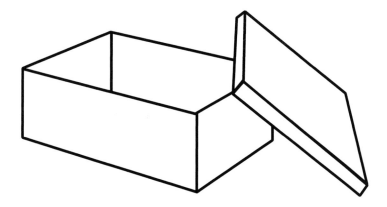

Aquí tienes algunas sugerencias de cosas que puedes meter en tu caja. Espero que te ayuden a salir adelante en momentos de estrés, ¡y que te levanten el ánimo en los días duros!

SUGERENCIAS

Chocolate, película favorita, baño de burbujas, puzles/rompecabezas, cuaderno de notas/bloc de dibujo, velas, pelota antiestrés, poemas favoritos/libro, accesorios de belleza/esmalte de uñas/mascarilla facial, etc., libro para colorear, objetos con valor sentimental, aceites esenciales, un par de bolsas de te... Cualquier otra cosa que os guste... ¡sed creativos!

Y a ti, ¿quién te cuida?

* inspirada por Irene Fernández Metti

Los adultos a menudo creemos que solo merecemos cuidados y ternura cuando somos niños, pero en realidad los necesitamos a lo largo de toda la vida. Cuando somos adultos también necesitamos alguien que nos cuide. Y a ti, ¿quién te cuida? Cuando eras pequeño, había al menos una persona encargada de cuidarte, de darte seguridad y amor: una madre, un padre, unos abuelos, un familiar cercano... ¿Cómo te cuidaban? ¿Qué valores y creencias te han legado? Esto es importante, porque tendemos a convertirnos en el padre o madre que tuvimos en la infancia. Y es que de niños aprendemos inconscientemente, imitando a quienes nos rodean.

TENDEMOS A CONVERTIRNOS EN EL PADRE O MADRE QUE HEMOS TENIDO

La diferencia entre los cuidados que necesitamos cuando somos niños y los que necesitamos cuando somos adultos es que un adulto es independiente y, por tanto, responsable de cuidar de sí mismo. Es decir, que los adultos tenemos que llevar dentro a nuestra propio cuidador interior.

LOS ADULTOS LLEVAMOS DENTRO NUESTRA PROPIA MADRE INTERIOR

¿Cómo es tu cuidador interior? ¿Quieres descubrirlo? Con papel y lápiz si quieres, hazte esta pregunta acerca de cómo te cuidaron tus padres cuando eras pequeño.

LA RUTINA:

¿Qué he aprendido de mi padre y madre? Haz un listado doble con las cosas positivas y negativas que has aprendido de ellos. Lo positivo son los elementos que nos gustaría incorporar a nuestra vida diaria y legar a nuestros hijos, y lo negativo son las cosas que preferimos no continuar haciendo.

¿QUÉ HE APRENDIDO DE MIS PADRES?

COSAS POSITIVAS QUE QUIERO LEGAR	COSAS NEGATIVAS QUE NO QUIERO REPETIR
....	....
....	....

¿Y si mis padres no fueron perfectos? Normal, nadie es perfecto. Hicieron lo que pudieron. Pero ahora que tú eres adulto, puedes decidir qué clase de madre o padre quieres ser para ti y para los demás. Recuerda que solo podrás cuidar a los demás en la medida en que hayas aprendido a cuidar de ti mismo.

DECIDE QUÉ CLASE DE MADRE O PADRE QUIERES SER

Así que manos a la obra. Para cambiar o potenciar algunos aspectos de tu cuidador interior vamos a utilizar una técnica de visualización. Cuando hablamos de hacer una visualización estamos aprovechando que el cerebro no distingue bien entre la realidad y la ficción. Te pondré un ejemplo: imagina que le pegas un bocado a un limón, redondo y jugoso. Es solo imaginación, pero vas a sentir inmediatamente cómo se contrae la boca y hay más saliva, como si estuvieras comiéndote el limón de verdad. Así funcionan las visualizaciones: nos ayudan a integrar cualidades y metas a nuestras vidas simplemente imaginándolas.

....

VISUALIZA A TU CUIDADOR INTERIOR

Para visualizar a tu madre, padre o cuidador interior...
Encuentra un lugar donde no te distraigan. Relájate en una posición confortable, respira despacio... disfruta de la calma... Cierra los ojos... Y cuando te sientas tranquilo, empieza:
Imagina cómo te gustaría que te hubiesen cuidado de pequeño. Tal vez hubieras querido tener a alguien sereno que te hiciese sentir seguro. Tal vez hubieses deseado a una persona capaz de compartir y celebrar tus alegrías, o alguien que sencillamente siempre estuviera a tu lado, incondicionalmente, al margen de tus éxitos o fracasos.

....

SIENTE LAS CUALIDADES DE TU CUIDADOR INTERIOR DENTRO DE TI

Conecta con eso que hubieses deseado, y que necesitas ahora para tu propio bienestar. Imagina a ese cuidador interior de forma clara y concreta. Sigue relajándote y sintiendo físicamente que las cualidades de tu cuidador interior forman parte de ti, y que puedes recurrir a ellas cuando quieras.
Cuando ya sientas a tu cuidador interior, con esas cualidades que te dan paz y alegría, empieza a moverte y abre los ojos poco a poco.
Conecta con esas sensaciones de cuidado y de amparo cada vez que las necesites.
¡Están dentro de ti!

Un baño de naturaleza

A lo largo de la historia de la evolución humana hemos pasado casi todo nuestro tiempo inmersos y dependientes del mundo natural. Aunque no seamos conscientes de ello, nuestros ritmos naturales están sincronizados con la naturaleza.

Existen otras razones por las que el mundo natural nos resulta tan terapéutico: la naturaleza, en su increíble diversidad, hace que nada de lo que somos nos parezca extraño o rechazable. Nos integra, no nos excluye ni nos compara. Cuando estamos en un entorno natural, el tiempo artificial que marca el reloj también desaparece. Y nuestra necesidad diaria de organizar cede ante el incontrolable mundo natural, porque no puedes evitar la lluvia, mandar en las mareas o retrasar la puesta de sol. Solo puedes contemplar su belleza y su fuerza, de la que formas parte intrínseca. Por todo ello, ¡necesitamos darnos baños de naturaleza!

A quienes defienden la necesidad profunda de los humanos de estar conectados con el mundo natural, les respalda la evidencia científica. Las ondas cerebrales que generamos son diferentes cuando estamos en un entorno natural. Incluso un paseo corto consigue efectos benéficos similares a los de la meditación. Tener acceso, o sencillamente contemplar un entorno natural desde una ventana, reduce el estrés, mejora el humor, acelera las recuperaciones de enfermedades, potencia la creatividad y mejora la autoestima.

Nuestras vidas sedentarias, rodeadas de pantallas y distracciones caseras, se organizan cada vez más en las ciudades, y esta es una tendencia que crece en el mundo entero.

Algunas culturas tienen rutinas de inmersión natural consolidadas, como el *shinrin-yoku*, o «baño de bosque» japonés, que prescribe un paseo de dos horas por el bosque una vez a la semana como terapia para aliviar el estrés y la ansiedad. En Londres, muchos parques cuentan con infraestructuras «biomiméticas» que invitan a los paseantes a hacer actividades lúdicas al aire libre. Bastantes ciudades se están planteando cómo integrar jardines y huertos urbanos en sus calles y sus tejados. Los estudios más recientes demuestran que permanecer pequeños periodos de tiempo en un entorno verde puede mejorar el humor de las personas y su rendimiento cognitivo.

TEST DE CONEXIÓN CON LA NATURALEZA

Esta escala revela hasta qué punto te identificas ahora mismo con el mundo natural. En este gráfico, elige y rodea el dibujo que mejor describa tu relación con el mundo natural.[2]

[2] Nature in Self Scale (INSS). En una escala del 1 al 7, el 1 representa el estado de ánimo más desconectado de la naturaleza y el 7 el más conectado.

LA RUTINA:

Jackie Stewart, del blog Tiny Buddha,[3] nos recuerda que somos las únicas criaturas que ponemos una suela de zapato entre nuestros pies y la tierra. El simple acto de sacarte los zapatos, asegura, te ayuda a reconectar con la tierra. Para ello, recomienda esta sencilla rutina que llama «la respiración descalza»: «Encuentra un lugar tranquilo al aire libre —un rincón de un parque, tu jardín o tu lugar natural favorito—. Quítate los zapatos, cierra los ojos y camina lentamente cien pasos respirando profundamente, acompasando los ritmos, sintiendo el sol en la cara, el aire en la piel y la energía de la tierra a través de los pies.»

PERSONAS QUE INSPIRAN...
DESCUBRE AL JARDINERO-GUERRILLERO RON FINLEY [4]

Se autodenomina *guerrillero* urbano y defiende que la naturaleza es terapéutica, educacional y transformadora. Ron cultiva jardines en rincones yermos y abandonados de la ciudad de Los Ángeles. ¿Por qué? Por gusto, por reto, por belleza y por salud, pues el cultivo de vegetales frescos contribuye a mejorar la alimentación de muchos ciudadanos humildes cuya dieta está preocupantemente desequilibrada.

Puedes encontrar más información en lagreengrounds.org.

[3] https://tinybuddha.com/author/jackie-stewart/.
[4] https://www.ted.com/talks/ron_finley_a_guerilla_gardener_in_south_central_la?language=es.

PARA
COLOREAR

Respira

Cada emoción deja una huella en tu cuerpo. Y, por el contrario, puedes transformar, calmar o potenciar las emociones a través de ejercicios físicos. Uno de los gestos más eficaces para influir en el estado físico y emocional es la respiración consciente, una herramienta sencilla de aprender que se puede aplicar en segundos en cualquier lugar.

LA RUTINA:

1. *EQUAL BREATHING* O RESPIRACIÓN TRANQUILA

Inspira contando mentalmente hasta cuatro. Exhala contando mentalmente hasta cuatro. Haz la inspiración y la expiración por la nariz. Te ayudará a calmar el sistema nervioso, a mejorar la atención y a reducir el estrés.

¿Cuándo funciona mejor? En cualquier lugar, a cualquier hora, pero esta técnica, que tiene un efecto similar a contar ovejas, es particularmente eficaz antes de ir a dormir o para calmar una mente agitada.

2. RESPIRACIÓN ABDOMINAL

Pon una mano sobre el pecho y otra sobre el vientre. Inhala profundamente por la nariz, llenando el diafragma (¡no el pecho!) de aire. Expira por la boca. Repite lentamente varias veces.

¿Cuándo funciona mejor? Es una excelente técnica para relajarse antes de un examen o en cualquier momento estresante. Si necesitas ayuda para aprender a respirar de forma consciente, prueba la App de McConnell's, Breathe Strong app.

3. RESPIRACIÓN ALTERNA

Los yoguis dicen de esta respiración que ayuda a armonizar los dos hemisferios del cerebro. Sentado en una postura confortable, con tu pulgar derecho cierra tu fosa nasal derecha y respira profundamente a través de la fosa nasal izquierda. Cuando hayas inspirado todo el aire, cierra la fosa nasal izquierda con tu anular y exhala por la fosa nasal derecha. Sigue con este patrón, inhalando con la fosa nasal derecha, ciérrala con el pulgar derecho y exhala con la fosa nasal izquierda.

¿Cuándo funciona mejor? Los expertos dicen que esta es una respiración adecuada para momentos en los que quieres sentir más energía, ¡y comparan el efecto energizante de esta respiración con una taza de café!

Viaja sin moverte de casa

Visualizar es, simplemente, imaginar. Los humanos, con nuestra gran capacidad creativa, visualizamos todo el rato, aunque no seamos conscientes de ello: prevemos, imaginamos y vivimos con imágenes concretas. Pensar e imaginar crean caminos neurales en el cerebro y estimulan el sistema nervioso.

¿Cómo son tus pensamientos? ¿Qué huellas estás creando en tu cerebro? ¿Estás cansado, agobiado? El antídoto para la fatiga mental es el mismo que para la fatiga física: descansar o cambiar de actividad, es decir, en el caso de la mente, dejar de pensar o de mirar aquello que nos estresa.

Cada vez que te preocupas por el futuro, que te sientes ansioso, estás visualizando en negativo. **¡APRENDE A VISUALIZAR EN POSITIVO!**

Cambiar los pensamientos repetitivos o estresantes es posible con la técnica de la visualización. ¿Cuál es el lugar donde te sientes bien? ¿Dónde quisieras estar ahora mismo si pudieras viajar sin moverte de casa? ¡Ve con tu mente a ese lugar ya mismo! Disfruta con todos tus sentidos de un paseo por el bosque, de nadar en el mar o de tumbarte en una nube... La relajación mental que la visualización te ofrece se hará sentir también en tu cuerpo.

DESCRIBE AQUÍ ESE LUGAR
AL QUE TE APETECE VIAJAR
PARA DESCONECTAR Y
DESCANSAR TU MENTE

....

....

....

....

....

....

LA RUTINA:

Para disfrutar de una visualización positiva, encuentra un lugar seguro donde no vayas a ser interrumpido. Si lo prefieres, puedes usar alguna visualización guiada que encuentres en internet y que te resulte agradable; o bien, sencillamente, cierra los ojos e imagina que estás en ese lugar que te da paz. Visualiza el tiempo del que dispongas, corto o largo. Aunque sea solo durante un par de minutos, estarás ayudando a generar un estado físico y emocional más beneficioso para ti, y sin moverte de casa.

UN VALE PARA CUIDAR DE TI MISMO

EL PORTADOR DE ESTE VALE TIENE DERECHO A CUIDAR DE SÍ MISMO EN CUERPO Y MENTE.

NO SE PUEDE SERVIR DESDE UN RECIPIENTE VACÍO, ASÍ QUE RELLENA TU RECIPIENTE: TÓMATE UN MOMENTO, RESPIRA HONDO Y ESCÚCHATE A TI MISMO EN CUERPO Y MENTE, CON ATENCIÓN Y CARIÑO, PARA PODER SEGUIR OFRECIENDO AL MUNDO LO MEJOR DE TI.

VALE PARA EL CUIDADO PERSONAL

Automasajes reconfortantes

Con un buen masaje manipulamos los músculos del cuerpo y los tejidos blandos. Hay muchas formas de dar masajes: pueden ser más o menos profundos, darse por todo el cuerpo o en partes específicas; eso es lo que proponen técnicas como la reflexología, que se centran en el pie. Los masajes relajan el cuerpo y la mente, mejoran la calidad del sueño y reducen el estrés. Los estudios demuestran que, además, pueden reducir el dolor, relajar los músculos y mejorar el humor. Los niveles de cortisol, la hormona que contribuye al estrés, disminuyen después de un masaje.

Todo eso suena muy bien, pero ahora mismo no puedes darte el lujo de que alguien te dé un buen masaje... ¿Qué puedes hacer?

Aunque no siempre resulta posible conseguir que alguien nos acaricie y nos dé un masaje, hay algunos gestos sencillos que podemos aplicarnos a nosotros mismos y que nos ayudarán a disfrutar de los beneficios del masaje.

LA RUTINA:
SI SUFRES DE DOLOR DE CABEZA POR TENSIÓN

Solemos estirar el cuello cuando estamos frente al ordenador. ¡Dale una alegría con este gesto tan relajante! ¿Cómo lo hago?

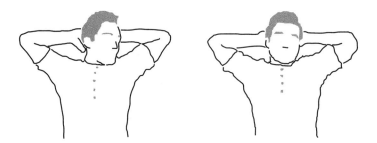

1 Estírate con las piernas dobladas.
2 Sujeta una pelota en cada mano entre el pulgar y el índice, y ponlas a cada lado del cráneo.
3 Rueda la cabeza de un lado y otro, y hacia delante y atrás.

SI TU MANDÍBULA ESTÁ TENSA

Cuando estamos tensos, tendemos a apretar las mandíbulas sin darnos cuenta. Puedes hacer este gesto nada más despertar, o a lo largo del día, para aliviar la tensión. ¿Cómo lo hago?

1 Apoya las yemas de los dedos contra tus pómulos.
2 Aprieta con los dedos mientras abres y cierras la boca.
3 Haz esto a lo largo de una barba imaginaria.
4 Cuando llegues a la barbilla, empuja tus dedos debajo de la barbilla y masajea.
5 Repite esos gestos hasta que te sientas mejor.

SI TIENES EL CUELLO Y LOS HOMBROS TENSOS

Intentar darse a uno mismo un masaje con las propias manos puede crear incluso más tensión… Intenta masajearte con una pelota. ¿Cómo lo hago?

1 Ponte de pie, apoyado contra la pared, con una pelota entre esta y tu hombro.
2 Levanta el hombro y mueve la cabeza de lado a lado.
3 Prueba diferentes posturas, apretando y moviendo la pelota a lo largo de cuello y hombros, siempre contra la pared.

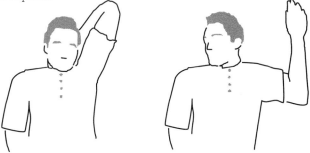

UN ESTUPENDO MASAJE DE CABEZA

¿Te duele un poco la cabeza? Prueba este gesto. ¿Cómo lo hago?

1 Haz círculos en tus sienes con los dedos, al principio muy suaves…
2 Incrementa la presión a medida que los dedos suben hacia el cráneo.

PARA BRAZOS DOLORIDOS

¡Imprescindible si pasas muchas horas tecleando o usando las manos! ¿Cómo lo hago?

1 Estira el brazo, palma arriba, y sujétalo a la altura del codo con tu otro brazo. ¡No apliques demasiada fuerza!
2 Gira el brazo que estás sujetando hasta que la palma esté mirando al suelo.
3 Repite hasta llegar a la muñeca.

¡TIENES PERMISO!

HOY ME PERMITO ....

....

....

....

....

....

....

....

Encuentra tu centro

La expresión popular «perder el centro» describe lo que nos pasa cuando nos desconectamos del conjunto de prioridades y valores que conforman la columna vertebral mental y emocional de cada persona. Cuando perdemos el centro nos quedamos sin una guía clara, y resulta mucho más difícil tomar decisiones coherentes con la vida que queremos llevar.

LA RUTINA:

Esta rutina te ayudará a visualizar (o imaginar) tu centro, a sentirlo físicamente y a reconectarte con él.

▶ Ponte de pie, con los pies bien apoyados en el suelo y los ojos cerrados.
▶ Imagina tu centro como prefieras: por ejemplo, como si fuese una esfera frente a ti, del color que quieras. Siéntela.

¿A QUÉ DISTANCIA ESTÁS DE TU CENTRO?
¿A UN CENTÍMETRO? ¿A DOS CENTÍMETROS?

Ahora que ya sientes ese centro, pon tu peso sobre el pie derecho, luego sobre el pie izquierdo, y después hacia delante y hacia atrás, imaginando que estás rotando en torno a tu centro. Para finalizar, siente la sensación física de fundirte en ese centro.

Planifica un rato positivo

Como decimos a menudo, las emociones se contagian como un virus.

LA RUTINA: Cada semana, planifica al menos una tarde, unas horas o un rato positivo, para compartir con alguien positivo. Al final de ese tiempo, fíjate en cómo te sientes y en los beneficios físicos y emocionales que has logrado.

ESTA SEMANA, VOY A PASAR UN RATO POSITIVO CON

....

....

....

....

....

....

....

....

....

....

¡YA ESTÁ! ME SIENTO ....

AL FINAL DE TODO, LAS ÚNICAS PREGUNTAS QUE ME HARÉ SERÁN: «¿AMÉ LO SUFICIENTE», «¿REÍ LO SUFICIENTE?», «¿MARQUÉ ALGUNA DIFERENCIA?»

> «LA VIDA NO SE MIDE POR EL NÚMERO DE RESPIRACIONES, SINO POR CUÁNTAS COSAS TE QUITAN LAS RESPIRACIÓN.»

MAYA ANGELOU

COSAS QUE ME QUITAN LA RESPIRACIÓN

....

....

....

....

....

RUTINAS EXPRÉS PARA ACTIVARME

¿Qué cosas te hacen sentir vivo, viva? El milagro, dice el escritor y maestro zen Thich Nhat Hanh, no es caminar sobre las aguas. El milagro es caminar sobre la tierra verde, ocupando el momento presente, sintiéndote completamente vivo. En estas rutinas encontrarás formas de activarte, despertarte y sentirte genial.

¡Date un baño de luz azul!

La luz natural es un reparador curativo, tónico, desinfectante y relajante... ¡que la naturaleza nos ofrece de forma abundante y gratuita!

¿POR QUÉ ES IMPORTANTE LA LUZ? La luz de la mañana es una señal natural que nos ayuda a despertar y a activarnos; por ello, durante el día necesitamos niveles intensos de luz para estar alerta en la escuela o en el trabajo.[5]

Y es que **la luz es tan potente como una droga.** Los estudios sugieren que **el cuerpo utiliza la luz como si fuera un nutriente tan básico como el agua o la comida.** ¿Le sacas todo el partido que merece?

¿Qué nos pasa cuando nos falta luz? La falta de luz afecta a la producción de hormonas como la melatonina y de neurotransmisores como la serotonina, además de desarreglar nuestros ritmos circadianos. **Los ritmos circadianos**, que rigen el reloj biológico interno del cuerpo, se han detectado en casi todos los seres vivos, incluyendo plantas y microbios. Afectan nuestra salud entera: el sistema inmunológico, la respuesta del hambre, la presión arterial, los procesos cognitivos, los ciclos de sueño, la producción de hormonas, la temperatura corporal...

Los humanos preferimos un entorno iluminado con luz natural porque esta tiene un espectro equilibrado de color, que se acentúa en la parte azul-verde del espectro visible. La mayor parte de luces artificiales carecen del equilibrio necesario para favorecer nuestras funciones biológicas completas.

La luz azul incrementa la actividad cerebral, más aún que beber una taza de café. Afortunadamente, tenemos acceso a una fuente natural y abundante de luz azul: la luz del sol, que es hasta mil veces más potente que las luces artificiales.

La rutina de hoy es para que dediques unos minutos conscientes a disfrutar de los beneficios de la luz natural. Si quieres despertarte y activarte, ¡date un baño de luz azul!

---

[5] Por la noche, en cambio, necesitamos reducir la exposición a la luz para ir relajándonos y sintiendo sueño.

Durante siglos, hemos vivido inmersos en entornos naturales llenos de luz. Las últimas décadas han cambiado estas costumbres milenarias, y quienes vivimos en ciudades pasamos hasta el 90 por ciento de nuestras vidas en interiores, generalmente iluminados y ventilados de forma artificial.

SABÍAS QUE...

Las luces frías blancas fluorescentes se concentran en la parte amarilla a roja del espectro. Las lámparas incandescentes también se concentran en la parte naranja a roja del espectro. En cambio, los fluorescentes de bajo consumo se centran en la gama amarilla a verde del espectro. Estos tres tipos de bombillas carecen de la parte azul del espectro, que es la más importante para las personas, y la que contiene la luz natural. Existen también fluorescentes de amplio espectro que se parecen más a la luz natural.

LA RELACIÓN ENTRE LA LUZ Y LA SALUD

Las investigaciones muestran que los entornos mal iluminados afectan al rendimiento académico de los niños y a la recuperación de los enfermos en los hospitales. La luz natural, además, se asocia a una mayor productividad, menor absentismo, menor fatiga, actitudes más positivas y menor fatiga ocular. ¡Cada día somos más conscientes de la relación entre la luz y la salud física y mental!

LA RUTINA:

¿Recuerdas la sensación tan agradable de pasar tiempo en una playa o en el jardín? ¡Es casi como dormir una siesta! La razón es porque la luz natural es más intensa y benéfica que la luz artificial, y genera vitamina D, que ayuda a absorber el calcio, que a su vez calma el sistema nervioso. Si combinas luz natural con un poco de ejercicio, el efecto es aún mejor. Así que en cuanto puedas, sal afuera y báñate en la luz del día.

Si no dispones de tiempo, unos minutos diarios en el jardín o en un parque, dándote un baño de sol, serán muy beneficiosos. Los estudios muestran que las personas que reciben suficiente exposición al sol tienen mejor humor, niveles de estrés más reducidos y una mayor cantidad de serotonina en la sangre.

TRUCO: Para activarte por las mañanas, no cierres las persianas por la noche... Si no dispones de luz natural cuando despiertas, enciende una luz eléctrica lo más parecida posible a la luz del sol.

Despertar con yoga

TÚ PUEDES TRANSFORMAR EL DESPERTAR EN UN MOMENTO DEL DÍA MUY ÚTIL Y AGRADABLE. ¿CÓMO? ¡PRUEBA CON UNOS MINUTOS DE YOGA MIENTRAS ESTÁS TODAVÍA EN LA CAMA!

Esos minutos pueden cambiar todo tu día a mejor, porque un poco de ejercicio por las mañanas estimula el flujo de la sangre, equilibra el sistema hormonal y te ayuda a desintoxicarte... Además, los estudios revelan que cuando empezamos el día con un hábito saludable es mucho más probable que sigamos viviendo saludablemente el resto del día. La combinación única de movimientos intensos, activación de la respiración y conciencia focalizada es un magnífico dinamizador.

UNA SUGERENCIA ANTES DE QUE EMPIECES A DESPERTAR CON YOGA...

Lee esta rutina con calma. Practica los movimientos que vas a descubrir aquí sobre cualquier alfombra o cama. Hasta que te familiarices con ellos, puedes grabar la descripción de los movimientos en el móvil y usar esa grabación por las mañanas, o bien tener tu *Libro de las pequeñas revoluciones* a mano en la mesilla de noche.

Intenta dedicarte estos minutos de despertar y concéntrate solo en ser consciente de tu respiración y de tu cuerpo. Si notas que las prisas y los agobios del día que empieza ya te asaltan, apártalos con paciencia y diles: «¡Luego os atenderé!».

Tu respiración va a guiar esa pequeña sesión de yoga matutino. Estirada o estirado, observa tu respiración. Primero, intenta suavizarla hasta que fluya de forma muy ligera, sin forzar. Después, concentra la atención en tus pies: en yoga, nos centramos mucho en la importancia de los pies para compensar la importancia que le damos a la cabeza y al cerebro el resto del tiempo. Estira los pies, mueve los dedos. Durante tu sesión de de yoga, presta este tipo de atención plena a todo tu cuerpo.

> Para un video de las posturas de
> *Yoga para Despertar* de Sadie Nandini:
> https://www.youtube.com/watch?v=FVIzvsHLFfg

[6] Esta secuencia de movimientos es de la yogui Sadie Nardini. Dice que es una de las preferidas de sus alumnos porque ayuda a despertarse del todo, activa la energía de las personas, pero a la vez calma la mente.

LA RUTINA: LAS POSTURAS[6]

1.POSTURA DEL SUEÑO

Directamente desde ese estado de somnolencia, estírate sobre la espalda. Junta los pies y abre las rodillas, dejándolas caer a cada lado del cuerpo. Pon una mano sobre el vientre y la otra sobre el pecho. Empieza a respirar profundamente por la nariz. Inhala y expande tu cuerpo de forma que tus manos suban. Mantén la inhalación unos segundos. Exhala. Tus manos bajaran de nuevo. Al final de la exhalación, aprieta un poco tu vientre para soltar bien el aire y mantén la exhalación unos segundos.

Repite 3 veces.

3.LA POSTURA DEL GATO

Esta postura es para activar la espalda. Lentamente, siéntate en la cama con las piernas cruzadas. Pon las manos sobre las rodillas. Inhala arqueando la espalda y exhala redondeándola, como si fueses un gato. Haz esto las veces que te apetezca, por ejemplo durante un minuto, sintiendo plenamente tu espalda.

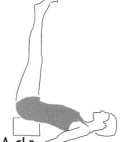

2.LA POSTURA DE LA «L»

Esta postura es para ayudar al cuerpo a desintoxicarse. Agarra tu almohada y colócala debajo de tus caderas. Usa mejor dos almohadas para sujetarte bien, sin necesidad de usar las manos, que colocarás con las palmas abiertas a cada lado del cuerpo. Suavemente, sin forzar, sube las piernas en ángulo recto hacia el techo. Las piernas y las caderas deben estar por encima del nivel del corazón, y el corazón por encima de la cabeza. Si quieres más apoyo, apoya las piernas en el cabezal de la cama.

Mantén esta postura unas tres respiraciones.

4.LA POSTURA DE LA ESFINGE

Envuelve tu codo derecho con el izquierdo, y con los brazos doblados haz que tus dedos de la mano izquierda toquen, lo máximo que puedas, la palma derecha. Levanta los codos a la altura de los hombros, como muestra la figura. Mantén la espalda recta y, después de unas respiraciones en esta postura, intenta redondear la espalda, acercando la barbilla al pecho, para estirar la parte alta de la espalda.

5.POSTURA AGACHADA CON PUÑOS

Saca las piernas de la cama y ponte de pie con las rodillas un poco dobladas. Haz puños con las manos, y cruza los brazos (esto te ayudará a soltar tensión en los músculos de la espalda.) Agáchate sobre tus piernas dobladas y relaja la espalda, los hombros y la cabeza completamente, como si fueses un muñeco de trapo. Respira… Siente cómo cualquier posible tensión desaparece en el suelo. Esta postura, asegura Sadie Nardini, es útil en cualquier momento, incluso en el trabajo, ¡o cuando necesites un chute de energía!

Mantén la postura durante un minuto, luego levántate despacio y estírate con los brazos hacia el cielo mientras inhalas.

No te estires demasiado, porque tus músculos todavía están fríos. Estás dando la orden al cuerpo de que fluya la sangre y despierte.

Un delicioso desayuno energizante

Los alimentos que crecen y maduran al sol poseen cualidades ocultas que favorecen la vida. Muchas de esas propiedades curativas pueden obtenerse simplemente consumiendo frutas y verduras maduradas al sol. Los enormes poderes reconstituyentes de esos alimentos sirven para proporcionarle fortaleza al cuerpo. Intenta que el 50 por ciento de cada comida se componga de frutas y/o verduras frescas.

En las plantas, el sol produce clorofila, que es un agente limpiador y curativo del sistema humano. De hecho, suele decirse que la clorofila constituye «vida que llega del sol». Y por eso oirás que muchos nutricionistas y médicos recomiendan una dieta que incluya acelgas, espinacas, perejil, endivias o lechugas de hoja roja. Las hojas oscuras contienen aminoácidos de alta calidad, minerales importantes, vitaminas, antioxidantes y fitonutrientes benéficos, sustancias químicas derivadas de las plantas que refuerzan el sistema inmunitario, además de mejorar la salud e incrementar la longevidad.

¡LOS BATIDOS VERDES SON LA MEJOR COMIDA RÁPIDA! PREPARAR UN BATIDO VERDE NO LLEVA NI CINCO MINUTOS, ESPECIALMENTE SI LOS INGREDIENTES ESTÁN LISTOS DESDE LA NOCHE ANTERIOR.

LA RUTINA:

Batido verde tropical

(Mis peques disfrutan extrañamente con este delicioso batido tan sano, porque ¡no notan las espinacas!)

PARA 1 PERSONA:

1,5 tazas de espinacas

1 taza de jugo de coco, sin azúcar o leche de coco diluída

1 taza de piña congelada (o fresca, con un puñado de hielo picado)

Bate las espinacas y el agua de coco. Añade los demás ingredientes. ¡Disfruta![7]

TRUCO PARA HACER BUENOS BATIDOS VERDES

▶ Aprieta 2 tazas de hojas verdes de la verdura que prefieras en una taza y échalas en la batidora.
▶ Añade 2 tazas de agua y bate hasta que quede una mezcla fina.
▶ Añade 3 tazas de fruta y vuelve a batir hasta que vuelva a quedar fina.

SIRVE EN VASOS MEDIANOS, O BIEN EN VASOS DE CHUPITO PARA FACILITAR SU TOMA POR PARTE DE LOS NIÑOS.

[7] Encontrarás muchas más recetas en la excelente página www. simplegreensmoothies.com.

Risoterapia exprés

Tenemos una capacidad innata e instintiva para reír. Cuando reímos, generamos química del bienestar, es decir, neurotransmisores y hormonas como la dopamina o las endorfinas... ¡Disfrutamos riendo! Se excita el cuerpo y se relajan los músculos. Además, la risa fomenta la colaboración y la cohesión social, porque une a las personas, las entretiene y les incita a colaborar. La risa también potencia la creatividad, porque ayuda al cerebro a relajarse y abrirse a nuevas perspectivas. Sin embargo, con el paso de los años podemos perder la capacidad de reír. De hecho, los niños ríen de media hasta cuatrocientas veces al día, mientras que los adultos apenas lo hacen diez o quince. La risa es el triunfo de la vida sobre la tristeza y la resignación. ¡Reír es uno de los recursos más importantes que tenemos!

Hay dos formas básicas de risa: la más social, que es una risa algo forzada, y la risa espontánea, la que fluye desde la alegría genuina. Fisiológicamente, los sonidos y la forma de emitir estos dos tipos de risa son diferentes, y se registran en lugares diferentes del cerebro, aunque ambas formas de reír son igualmente beneficiosas. Contrariamente a lo que solemos creer, no necesitamos una buena razón para reír: aunque aprendas a reír de forma mecánica, pronto te contagiarás de sus beneficios. Tanto si tienes que forzar un poco la risa como si logras reírte a carcajadas varias veces al día, ¡no renuncies a la risa!

JA JA
JO JO
JA JA
JO JO
JA JA

JA JA JA
JA JA JA
JA JA JA
JA JA JA
JA JA JA

LA RUTINA:
Vamos a aprender algunos recursos del yoga para la risa, que desarrolló el doctor Madan Kataria.

1.
Junta las manos frente al pecho. Céntrate en el estómago y ríe emitiendo el sonido «Ja, ja».

2.
Céntrate en tu pecho y ríe «Jo jo».

3.
Oscila constantemente entre el estómago y el pecho, arriba y abajo, gritando «Jo jo, ja ja, jo jo».

COLOREA,

DISFRUTA,

RELÁJATE

...

Música para el optimismo

Durante siglos, hemos usado terapia musical para activarnos y mejorar nuestro humor. Hoy en día, la ciencia ha desvelado algunos de los mecanismos que hacen de la música una herramienta tan potente: la música afecta todo el sistema nervioso autónomo, el que controla las acciones involuntarias. Por ello, la música tiene un efecto sobre la presión arterial y el latido cardiaco, además de sobre el sistema límbico, que regula nuestras emociones y sentimientos.[8]

La música también puede mejorar nuestro bienestar psicológico, especialmente la música alegre, que repercute en nuestro humor de forma positiva. **Las letras de las canciones que escuchamos son particularmente contagiosas. Su efecto puede notarse al cabo de dos semanas.**

LA RUTINA: Un gesto muy eficaz para mejorar tu humor es **hacer una lista de música que te ayude a activarte** y sentirte más positivo, algo así como crear la banda sonora de tu vida. Hoy en día contamos con servicios abiertos como Pandora (www.pandora.com) o Spotify (www.spotify.com), gracias a los cuales hacer una lista a tu medida es fácil y rápido.

LAS CANCIONES PROVOCAN EN TI EMOCIONES: HAZ QUE ESTAS SEAN POSITIVAS. AYÚDATE A TRAVÉS DE LA MÚSICA

Cuando pienses en tu banda sonora, elige conscientemente la música que te activa y te hace sentir vivo. **Si estás pasando un pequeño bache, evita todo lo que te deprime o te trae recuerdos tristes,** porque necesitas elegir cuidadosamente lo que te rodea para que influya positivamente en tu humor.

MÚSICA QUE ME DA ALEGRÍA Y QUE QUIERO ESCUCHAR

....

[8] Bradt & Dileo revisaron en 2009 veintitrés estudios con una muestra de 1.500 personas que confirman que la música ayuda a reducir la presión arterial, el latido cardiaco y la ansiedad.

Tonifica tu cerebro

Tu cerebro no es diferente del resto de tu cuerpo: necesita que lo ejercites de forma regular para mantenerse en forma a lo largo de toda tu vida. En inglés, dicen del cerebro «*use it or lose it*», es decir, «úsalo o piérdelo».

Para ejercitar el cerebro, practica el equivalente de la gimnasia, pero aplicada a ese órgano nuestro tan esencial, esto es, haz actividades que le estimulen y que propicien la neurogénesis, la capacidad de generar nuevas neuronas. Esto no es una metáfora: al igual que el cuerpo reacciona fortaleciéndose cuando le damos órdenes a los músculos que les sacan de su zona de confort, para ejercitar el cerebro tenemos que plantearle pequeños retos que le resulten un poco diferentes, que le reten a superarse, a usar su capacidad para razonar y memorizar.

LA RUTINA:

¡Tu cerebro es el espejo de cómo vives y cómo piensas! Es capaz de hacer cosas increíbles, y cambia constantemente en función de tus pensamientos y tu forma de vivir. ¡Busca nuevos intereses, practica nuevas habilidades y descubre nuevas ideas!

La llamada «reserva cognitiva» se refiere a la capacidad mental de una persona para resistir el deterioro físico de su cerebro. En este sentido, se cita con frecuencia el famoso experimento de las monjas, cuando un grupo de 676 religiosas de Minnesota acordaron donar sus cerebros tras su muerte, en el marco de un estudio sobre el envejecimiento y la enfermedad de Alzheimer llevado a cabo por el doctor David Snowdon, de la Universidad de Kentucky. La mayor tenía ciento seis años cuando murió. Una de las conclusiones más fascinantes de este estudio fue que aquellas monjas que habían sido más activas mentalmente —impartiendo clases o aprendiendo hasta edades muy avanzadas— exhibían en vida muchas menos señales de deterioro mental, aunque sus cerebros estuviesen físicamente dañados.

¿QUÉ ACTIVIDAD NUEVA VOY A HACER HOY?

....

....

....

Sonríe aunque no tengas ganas

Cuanto más desafías tu tendencia a la negatividad, mejor te sientes y haces sentir a los demás. ¡Aquí tienes una forma sencilla de hacerlo! Los científicos han averiguado que no solo las emociones dejan una huella visible en el cuerpo, sino que al revés también funciona: si no te sientes bien, pero pones cara de estar bien, por ejemplo, cuando sonríes mecánicamente y sin ganas, ¡generas una química del bienestar que te hace sentir mejor! Y eso significa que empezar a querer sentirnos mejor es ya un paso para sentirnos bien realmente.

LA RUTINA:[9] Un lápiz lo tiene cualquiera en casa o en la oficina. Y un mal momento también. Así que cuando los ánimos estén bajos, vamos a darles un empujón con este sencillo truco: sujeta el lápiz con los dientes en horizontal, como si estuvieses sonriendo. Intenta mantener el lápiz allí unos quince segundos al menos, para que al cerebro le dé tiempo a generar la dopamina que nos hace sentir mejor, los músculos se relajen y la respiración se calme. ¡Con este simple gesto podrás empezar a cambiar de humor! Porque querer estar de buen humor ayuda a estarlo de verdad.

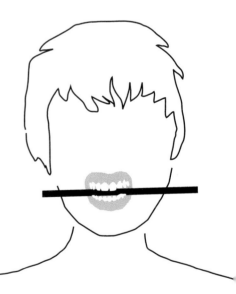

---

[9] Extraída de *Una mochila para el universo*, de Elsa Punset.

Borra tu mal humor en noventa segundos[10]

Nos fijamos más en el insulto que leemos en Facebook que en la persona que nos ha saludado amablemente. Antes de dormir, recordamos sobre todo la crítica del jefe, la salida de tono del hijo adolescente o aquel comentario tóxico cazado al vuelo. Llevamos las críticas clavadas en la mente, y estas a menudo desplazan lo bueno que nos ha pasado durante el día.

¿POR QUÉ SOLEMOS FIJARNOS MÁS EN LAS COSAS NEGATIVAS QUE EN LAS POSITIVAS?

¡Porque es normal! Se debe a la tendencia natural del cerebro, que esta programado para sobrevivir. Para intentar asegurar la supervivencia, el cerebro magnifica la tristeza y las posibles amenazas, en definitiva, la negatividad. Para recuperar un equilibrio más objetivo de lo bueno y lo malo en tu vida, aprende a disipar la química negativa que producen tantas emociones negativas, la mayor parte de ellas bien inútiles. Si estás triste o de mal humor, utiliza la regla de los noventa segundos.

LA RUTINA: Fisiológicamente, cuando nos invade una emoción negativa, el cuerpo suele tardar unos noventa segundos en procesar las hormonas del estrés y recuperar su estado normal. Pero si al cabo de ese tiempo tú sigues pensando en lo que te enfada y entristece, repites el proceso fisiológico y te quedas atrapado en un círculo vicioso. Así que cuando seas presa de un sentimiento negativo que no resulte útil sino perjudicial, déjate invadir durante ese breve momento y no pienses, solo siente la emoción. Pero en cuanto sientas que esa emoción disminuye, céntrate deliberadamente en cosas positivas para ayudar a disipar la química negativa que se ha generado con el pensamiento negativo.

---

[10] *Ibidem.*

Cumple una meta

¿CÓMO DESCRIBIRÍAS TU VIDA PRESENTE EN VOZ ALTA?

¿TE GUSTA CÓMO SUENA TU HISTORIA?

¿O TE GUSTARÍA CAMBIAR ALGÚN ASPECTO DE TU VIDA?

Hace algunos años, yo trabajaba en una empresa en la que era infeliz. Cada día, mes tras mes, año tras año, encontraba excusas para no cambiar de vida: no fallar a las personas que confiaban en mí, pagar el alquiler, la comida, la calefacción, asegurar la supervivencia de los niños, resignarme a que la vida es difícil, creer que la felicidad no es una meta prioritaria... Visto en retrospectiva, eran solo eso: excusas. Solo unas circunstancias personales difíciles me obligaron a buscar una vida diferente al margen de esa empresa. Y lo hice. **¡Qué gran decisión!**

Durante unos años, cuando me preguntaban donde trabajaba, en vez de decir: «Trabajo en este empresa, no me gusta, qué se le va a hacer», que era lo que respondí habitualmente durante mucho tiempo, decía: «Escribo, no sé hacia dónde me va a llevar..., pero ¡me encanta!». ¡Qué gran momento de plenitud!

¿Y tú? ¿Qué cosa siempre has querido hacer en tu vida, pero no te has atrevido a hacer? Si no estás seguro, piensa: ¿qué actividades te han dado más satisfacción a lo largo de tu vida? Por allí podría estar lo que realmente quieres hacer, pero postergas o apartas una y otra vez. **¿Y qué podrías hacer HOY MISMO que te acerque un poco a eso que quisieras hacer de verdad? ¡ALLÁ VAMOS!**

LA RUTINA: Encuentra hoy cinco minutos para describir en un folio una meta que te inspire. Puede ser cualquier cosa, pequeña o grande, como hacer un curso de *coaching*, de jardinería o de formación profesional, emprender un viaje en el que quieres aprender algo, descubrir una afición concreta, conocer a un grupo de personas afines... Da el primer paso hacia ese objetivo: ¡escríbelo!

Escribe tu meta y los pasos que vas a dar para conseguirla de la forma más concreta y clara que puedas. ¿Por qué? Porque sabemos que cuando las personas escriben sus metas tienen hasta un 33 por ciento más de posibilidades de cumplirlas.

Pon ese folio en un lugar visible o asequible para ti, y haz algo cada día que te acerque a esa meta. Asegúrate de que cuando escuches tu historia te guste como suena. No más excusas.

¡Inspírate!

LA RUTINA:

Pon *post-its* a tu alrededor con FRASES QUE TE INSPIRAN: en la nevera, en tu ordenador, en la mesilla de noche o en el espejo del baño... Cámbialas para que se adapten y te inspiren en las diferentes etapas de tu vida.

Si no estás seguro de lo que buscas, déjate llevar: encontrarás frases inspiradoras solo con teclear estas palabras en tu buscador de internet.

«DIME CUÁLES SON PARA TI LAS DIEZ PALABRAS MÁS BELLAS... Y TE DIRÉ QUIÉN ERES.»

NICANOR PARRA

RUTINAS EXPRÉS PARA CONOCERME MEJOR

¿Te conoces de verdad? ¿Sabes quién eres, lo que te hace reaccionar, o que te mueve? ¿Sabes qué cosas te gustaría cambiar? Decía el psicólogo Carl Rogers que una persona educada es una persona capaz de cambiar. Pero para cambiar, primero tenemos que comprender con claridad aquello que queremos cambiar.

En estas rutinas, puedes bucear en tu interior, contemplar las aristas, las sombras y las oportunidades que ofreces, aquello con lo que has llegado al mundo y aquello que se ha ido consolidando poco a poco, al hilo de tus experiencias vitales. ¿Quieres cambiar algo? Cuando tengas claro el mapa de quién eres, podrás tomar decisiones y hacer cambios para llegar a buen puerto.

Dibuja la rueda de tu salud integral

Los seres humanos somos complejos, tenemos un cuerpo, cierto, pero también nos habitan emociones y sentimientos. Y nuestra salud incluye cuidar no solo del cuerpo, sino también de las emociones que dejan una huella en él. Así que vamos a dibujar una rueda de nuestra salud integral.

SABÍAS QUE...

Los maorís son una etnia polinesia arraigada en Nueva Zelanda, con una peculiar e influyente sabiduría que recalca la importancia de cuidar de todos los aspectos del cuerpo y de la mente para lograr una vida sana en todos los sentidos. Esta rueda de salud es típica de los maorí. Nos ayuda a comprender y gestionar mejor los distintos ámbitos, mentales y físicos, que tienen un impacto en nuestra salud.

Antes de dibujar, toma papel y lápiz y reflexiona unos minutos sobre lo siguiente:

TU MENTE: En más o menos dos minutos, escribe acerca de tus pensamientos de ahora mismo. ¿En qué cosas sueles pensar? ¿En qué cosas prefieres no pensar? Apúntalo.

TU CUERPO: Dibuja tu silueta y, mientras lo haces, piensa en tu cuerpo, fijándote en las partes tensas o doloridas, y también en las relajadas y ligeras. Haz círculos sobre las partes que necesitan tu atención.

TUS EMOCIONES: Haz una lista de tus emociones o sentimientos actuales. ¿Cuáles te resultan útiles? ¿Cuáles perjudiciales?

TU INSPIRACIÓN: Cierra los ojos y piensa en algo o alguien que te inspira. Quédate con ese pensamiento mientras respiras despacio. Imagina que contagias a los demás esa inspiración a lo largo del día. ¿Qué harías, pensarías y dirías concretamente?

LA RUTINA: Dibuja una rueda y divídela en cuatro partes iguales: representan tu mente, tu cuerpo, tus emociones y lo que te inspira. En función de lo que has apuntado en el papel acerca de cada una de estos cuatro ámbitos, dibuja un punto en cada sección de tu rueda: cuanto más alejado esté el punto del centro de la rueda, más importancia tiene esa sección en tu vida. Cuanto más cerca del centro de la rueda pones tu punto, menos atención le estás prestando. Dibuja los cuatro puntos y únelos para conseguir una rueda de la salud personalizada.

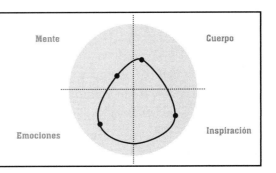

Aquí tienes un ejemplo, la rueda de la salud integral de alguien que dedica esfuerzos y atención a los ámbitos de las emociones y la inspiración, pero que podría mejorar su relación con el cuerpo y la mente:

Utiliza tu rueda para reflexionar acerca del equilibrio que tienes entre cuerpo, emociones, mente y lo que te inspira. Esta rueda te permite hacer un chequeo personal rápido y visual de tu estado actual, de tus fortalezas y tus carencias.

A la vista de esta rueda, ¿qué pensamientos o creencias crees que te están limitando de cara a conseguir una rueda de la salud más equilibrada?

¿Qué quieres eliminar o añadir a tu vida de cara a conseguir una rueda más equilibrada? ¡Manos a la obra! Céntrate en las partes de la rueda que están menos redondas, y elige dos o tres pequeñas metas claras para cuidar esos ámbitos de salud. Así fortalecerás los ámbitos de tu vida que tienes menos atendidos, y mejorarás tu salud física y mental.

AHORA YA PODEMOS HACER TU RUEDA PERSONAL DE SALUD.

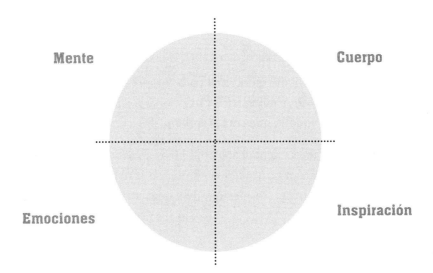

El diario de tu estrés

¿Te despiertas lleno de energía y sin temor a empezar el día? ¿O, por el contrario, te sientes cansado y como acosado por los eventos diarios? ¿Qué es lo que más te estresa? ¿Lo sabes? Hoy vamos a poner el dedo en la llaga de lo que nos estresa, para poder plantarle cara. **¡Manos a la obra!**

¿Qué es el estrés? El estrés es una reacción natural del cuerpo. ¿Por qué? Porque cuando cualquier cosa reclama nuestra atención, generamos una reacción física y emocional que nos da fuerzas y energía para responder a las demandas diarias. Un poco de estrés es bueno, porque te mantiene alerta.

UN POCO DE ESTRÉS ES BUENO, PORQUE TE MANTIENE ALERTA

Pero cuando el estrés es excesivo nos bloqueamos; es lo que nos ocurre cuando nos sentimos incapaces de responder a esas demandas diarias... Y así, agotamos los recursos y desgastamos nuestra salud física y mental.

DEMASIADO ESTRÉS DESGASTA TU SALUD FÍSICA Y MENTAL

¿Qué puede ayudarnos a no estresarnos demasiado? Lo primero es saber de dónde viene tu estrés. Para ello, te propongo llevar durante una semana un diario, muy sencillo, que muestre claramente qué eventos, personas y temores suelen estresarte.

¿CUÁLES SON TUS FUENTES DE ESTRÉS?

Vamos a hacer un seguimiento emocional para comprender cuáles son tus fuentes de estrés más corrientes y cómo sueles reaccionar a ellas. **¡Porque solo podemos poner remedio a aquello que comprendemos!**

LA RUTINA: Elige una libreta pequeña, o unas hojas de papel grapadas o numeradas, que puedas llevarte contigo a cualquier sitio. Ese es tu diario del estrés. Cuando te pase algo que te estrese —es decir, que te haga sentir vulnerable y agobiado—, apúntalo en tu diario:

FECHA Y HORA:
....

¿QUÉ ME HA CAUSADO ESTRÉS? Sé lo más directo y claro que puedas.
Por ejemplo: tengo una reunión con el director de ventas y debo decirle que hemos perdido un buen cliente... O tengo una comida familiar... O tengo que hablar en público... Lo
que sea en ese momento que te estresa.

....

¿CÓMO ME HE SENTIDO DEL 1 AL 10? En una escala del 1 al 10, en la que el 10 es
igual a máximo malestar, apunta cuánto malestar sientes en este momento y una palabra
que describa tu humor: triste, nervioso, exasperado, enfadado, sorprendido, etc.

....

SÍNTOMA FÍSICO: Apunta el síntoma físico que te produce ese evento estresante: presión en el estómago, dolor de cabeza, corazón acelerado, sensación de gran cansancio,
manos húmedas... Esto es útil porque a veces nos estresamos sin ser conscientes de ello,
pero si sabes reconocer tus síntomas físicos podrás darte cuenta más rápido que estás
estresado, y hacer algo para evitarlo.

....

....

¿CÓMO HE REACCIONADO? ¿Cómo he reaccionado a mi estrés? Me he agobiado. Me he
enfadado con mi hijo, o con un compañero. He llorado, he gritado...

....

¿ESTRATEGIA ÚTIL PARA GESTIONAR MI ESTRÉS? ¿He tenido una reacción o he
recurrido a una estrategia útil para gestionar mi estrés? ¿Cuál ha sido, o cuál hubiera podido ser? Así irás construyendo una repertorio de estrategias para gestionar esos eventos
estresantes, que te vendrán bien cuando se vuelvan a presentar.

....

Al cabo de una semana, repasa tu diario y apunta las fuentes de estrés que has
sufrido en los últimos días. Subraya los tres más desagradables, ¡y para combatir-
los recurre a las estrategias que has apuntado en tu diario!

El tablero de los sueños

No lo dudes: porque eres humano, estás programado y dotado para la creatividad, para transformar el mundo, para cambiar las cosas. ¡Eso es lo que nos distingue como especie! Pero aunque tenemos muchas elecciones, a veces la peor cárcel es nuestra forma de vernos a nosotros mismos. Así que hoy vamos a soñar y dibujar nuestra vida como queremos que sea.

¡Nacer es algo que tiene muy pocas probabilidades de pasarte! Tú lo has conseguido. Imagina la cantidad de citas, enamoramientos y casualidades que han dado lugar a tu vida. Deberíamos celebrar este milagro de estar vivos cada día. Además, cada persona es única, por biología y por cultura, es decir, que tiene algo único que aportar al mundo.

CELEBRA EL MILAGRO DE ESTAR VIVO CADA DÍA

PERSONAS QUE INSPIRAN...

KEN ROBINSON

Si no estás seguro de qué quieres aportar a los demás, piensa primero en lo que te motiva. La palabra motivación viene del latín *motus*, que significa movimiento. ¿Qué te mueve?¿Qué tienes de especial? Es lo que el educador Ken Robinson llama «descubrir tu elemento». Y lo compara con el pez que nada en el agua: el pez no piensa si le gusta o no le gusta el agua, simplemente está en su elemento. Estar en tu elemento es estar donde tu talento natural coincide con lo que te apasiona.

ESTAR EN TU ELEMENTO: CUANDO TU TALENTO NATURAL COINCIDE CON LO QUE TE APASIONA.

Así que, ¿qué te apasiona? ¿Y qué se te da bien? Porque allí está tu elemento. Y eso es lo que te invito a investigar con este tablero de los sueños.

PARA SABER QUÉ TE APASIONA, HAZ UN TABLERO DE LOS SUEÑOS

LA RUTINA: Con el tablero de los sueños vas a crear un conjunto de imágenes (tipo *collage*) que refleja tus aspiraciones, tus esperanzas y tus sueños. Se trata de visualizar el tipo de vida que te gustaría tener. ¿Cómo lo puedes hacer?

1 Busca revistas e imágenes en internet que te atraigan, que reflejen tus aficiones o lo que tú realmente quisieras hacer.

2 No utilices fotografías personales que tengan que ver con tu pasado. Estamos dibujando tu futuro.

3 Como tablero, puedes elegir una cartulina grande, un corcho, un espejo... Organiza como quieras las imágenes que tienes, muévelas, usa alfileres o imanes para poder cambiar a lo largo del tiempo tu tablero.

Mantén el tablero donde puedas verlo cada día. Pregúntate qué haces para que tu vida se parezca a lo que quieres que sea. Cambia el tablero a medida que vas vislumbrando lo que te importa de verdad. Piensa acerca de cómo pasas tu tiempo. ¿Te gusta lo que haces? ¿Quisieras dedicar más tiempo al deporte, a alguna afición, a los amigos, al trabajo? ¿Qué te falta? ¿Y qué quisieras descubrir o probar? Ponlo en tu tablero. ¿Cómo podrías mejorar tu empleo del tiempo? ¡Trabaja en ello como si hicieras ejercicio físico, gimnasia o deporte!

EMPEZAR ES FUNDAMENTAL, PERO... ¡hay que mantener tu talento, desarrollarlo! Cuando encuentres lo que te mueve, ¡no lo dejes escapar! La gente se esfuerza cuando le interesa lo que hace. Esa es la clave de la motivación. Trabaja en lo que te gusta y hazlo crecer.

La escritura expresiva

Hoy vamos a ver qué podemos hacer para sacar fuera y gestionar las emociones negativas que llevamos dentro. ¿Preparados?

SABÍAS QUE...

Las personas que tienen problemas personales pero que no hablan de ellos tienen más posibilidades de enfermar. De hecho, las personas que reprimen sus problemas van al médico de media un 40 por ciento más que las personas que expresan y comparten sus problemas.

Hablar de nuestros problemas con un amigo o un terapeuta puede ser complicado, porque nos hace sentir más vulnerables o temerosos de que nos juzguen o nos desprecien...

Así que hoy vamos a ver una forma sencilla pero muy eficaz de sacar a flote esas emociones negativas con la técnica que ha desarrollado el doctor James Pennebaker y que ha dado excelentes resultados contra la ansiedad, el dolor crónico, el desamor, la tristeza..., lo que te preocupe.

¿CÓMO LO PODEMOS HACER? Con la escritura expresiva.

¿QUÉ ES Y CÓMO FUNCIONA LA ESCRITURA EXPRESIVA?

La mente humana necesita por encima de todo encontrar sentido a los problemas, ponerles nombre, ayudar a encontrar causas y efectos, el porqué de las cosas que nos ocurren. Y escribir acerca de nuestros problemas puede ser muy similar a hablar de ellos..., aunque no nos hace sentir tan expuestos.

LA RUTINA:

¿Quieres aprender a hacerlo? Sigue estos pasos:

Proponte escribir 20 minutos cada día durante 4 días. Esto es lo que sabemos que funciona mejor. Puedes escribir más tiempo si quieres, pero escribe al menos esos 20 minutos cada día durante 4 días para ver un beneficio.

❶ ESCRIBE AL MENOS 20 MINUTOS CADA DÍA DURANTE 4 DÍAS

La escritura expresiva no se fija en una correcta ortografía, puntuación o escribir bonito... Se trata de expresar tus reacciones y emociones ante algo que te preocupa o te duele. No estás escribiendo un relato para que lo lean otros, escribes solo para ti.

2 ESCRIBE LIBREMENTE Y SOLO PARA TUS OJOS

La mayoría de las personas que utilizan la escritura expresiva suelen hacerlo al final del día, para encontrar un poco de tranquilidad. Si tienes hijos, espera a que se hayan ido a dormir. Después de escribir, reflexiona tranquilamente un rato acerca de lo que has escrito.

Es normal que te sientas un poco abrumado los primeros días en los que escribas. Generalmente, este sentimiento se disipa después de una o dos horas. Pero deja de escribir si te sientes desbordado por las emociones. Tómate tu tiempo para asimilar y expresar lo que sientes. Inténtalo de nuevo al día siguiente, cuando estés más tranquilo.

Poco tiempo después de haber terminado tus cuatro días de escritura expresiva, podrás reflexionar acerca de los cambios que notes en tu vida y en tu forma de sentir y reaccionar, y esas serán claves que te podrán ayudar a vivir mejor.

Pon nombre a tus emociones
* adaptado de Martha Beck

Las emociones son una forma de energía en constante proceso de transformación que busca expresarse a través de nuestro comportamiento y nuestros pensamientos. Cuando nombramos y expresamos conscientemente nuestras emociones, estas son mucho más fáciles de gestionar, porque pasan a la parte consciente de la mente (de hecho, nuestro cociente intelectual se incrementa cuando nombramos nuestras emociones).

¡Dedica un tiempo cada día a conocer y poner nombre a tus emociones!

LA RUTINA: Tus emociones pueden dividirse en cuatro grandes compartimentos. Aunque tus sentimientos sean confusos o leves, elige el compartimento que describe mejor lo que sientes ahora mismo.

☐ ENFADADO

☐ TRISTE

☐ CONTENTO

☐ ASUSTADO

Ahora, escribe al menos tres palabras (distintas a las anteriores) que describan de forma más concreta y sutil tus emociones en este momento.

••

••

Piensa en tres obras de arte (canciones, películas, imágenes, poemas, obras de teatro, libros...) con las que puedas relacionar cómo te sientes ahora mismo.

••

••

••

Encuentra tu estrella polar

* adaptado de Martha Beck

La *coach* Martha Beck llama «estrella polar» a aquello que nos inspira y motiva profundamente. Advierte que el miedo que todos sentimos es un compás, «un buen amigo que te avisa cuando algo es peligroso, a veces incluso antes de que tu mente consciente lo sepa». Pero el miedo no puede alejarte de tu estrella polar...

LA RUTINA: Piensa en las cosas que harías si no tuvieses miedo ni excusas para no hacerlas.

SI ME ATREVIESE, YO HARÍA LO SIGUIENTE:

....

....

....

....

....

....

....

....

....

La pregunta milagro

¿Estás atascado desde hace tiempo con un problema que se te resiste? Estudiando a cientos de pacientes, el matrimonio formado por los psicólogos Steve de Shazer e Insoo Kim Berg descubrió que las personas contamos con muchas soluciones a nuestros problemas dentro de nosotros mismos. ¿Por qué? Porque somos capaces de hacer de forma instintiva muchos pequeños gestos que alivian nuestros problemas habituales, pero no somos conscientes de esos gestos y, por lo tanto, no los usamos lo suficiente. Es lo que llaman «excepciones», es decir, las pocas veces en las que hemos hecho algo útil para aliviar un problema en vez de enquistarlo.

¿Quieres intentar encontrar esas soluciones que llevas dentro? **¡Vamos allá!**

LA RUTINA:

PIENSA EN UN PROBLEMA QUE TE GUSTARÍA SUPERAR

Piensa en un problema, que te preocupa, que te gustaría dejar atrás. ¿Ya lo tienes?

· ·

Bien, pues para encontrar dentro de ti una posible solución a ese problema voy a hacerte una pregunta: imagina que llegas a casa esta noche y que te vas a dormir; y que mientras estás dormido ocurre un milagro: el problema con el que te has dormido se ha esfumado al despertar. Piensa y dime: ¿qué es lo primero que harás al levantarte esta mañana? ¿Cómo va a cambiar tu vida a partir de ahora? Descríbelo con detalle, con papel y lápiz si quieres.

HAZTE LA PREGUNTA MILAGRO: ¿CÓMO SERÍA MI VIDA SIN ESE PROBLEMA?

Tu misión es lograr describir lo mejor posible cómo va a ser tu vida sin ese problema. ¿Qué harás de forma distinta ahora que ya no... por ejemplo... estás peleado con tu madre, o tienes problemas con un compañero de trabajo, o con la bebida, o con el tabaco, o no consigues comunicarte con un hijo adolescente?

La pregunta milagro te invita a imaginar tu vida sin el problema, a centrarte en el futuro tal y como lo deseas, en vez de atascarte en el presente problemático. Es una forma inteligente de saltarte los límites y de cuestionar creencias rígidas como «¡Esto no puede cambiar!».

Así que sigamos pensando en tu vida sin ese problema. ¿Cómo te sientes en esta nueva vida? ¿Cómo cambia el comportamiento de las personas de tu entorno? Piensa y apunta las respuestas que se te ocurran. Por ejemplo, si tienes problemas familiares, ¿qué hicisteis aquella vez que estuvisteis bien juntos? ¿Cenar en familia y salir a dar un paseo? Se trata de poner énfasis en las soluciones prácticas y concretas que ya has puesto en práctica alguna vez, y que te han sido útiles, pero que no sueles usar porque no eras consciente de lo útiles que pueden ser.

¿QUÉ COSAS CONCRETAS HAS HECHO EN EL PASADO QUE HAN MEJORADO TU PROBLEMA? ¡VUELVE A UTILIZARLAS!

Para ayudarte a detectar qué cosas son más útiles para aliviar tu problema, ponle nota a ese problema en una escala del 0 al 10. El 0 es el día en que tu problema es más acuciante, y el 10 es el día del milagro, cuando despiertas sin tener ya ese problema. ¿Dónde te sitúas ahora mismo? Pongamos que estás en un punto 3, o 4. En cuanto notes que has logrado mejorar esa nota, aunque sea muy poco, piensa: ¿qué ha cambiado? ¿Qué he hecho que me ha ayudado?
Cuando reflexionamos y ponemos cada pieza en su lugar, haciéndonos estas preguntas con paciencia, podemos encontrar soluciones que nos ayudan.

¿Quién soy realmente?

Hoy vamos a hacer un repaso breve que te ayude a situar cómo estás cambiando a lo largo de tu vida y en qué momento vital estás. Para ello, utiliza esta plantilla y apunta en pocas palabras quién eras en cada etapa de tu vida, recalcando sobre todo cómo has cambiado y qué haces ahora que no hacías antes. Cuando hayas rellenado tu ficha, reflexiona:

¿Qué cualidades o características tiene la persona que siempre has sido a lo largo de todas estas etapas?

....

....

¿Te has hecho caso o has vivido en piloto automático?

....

¿Cuándo fue la última vez que escuchaste a esa persona que llevas dentro desde siempre?

....

....

RELLENA LA FICHA (descríbete, son suficientes dos o tres palabras)

INFANCIA: _____

_____

ADOLESCENCIA: _____

_____

20 AÑOS: _____

_____

30 AÑOS: _____

_____

40 AÑOS: _____

_____

AHORA: _____

_____

¿CÓMO QUIERES CAMBIAR EN LOS PRÓXIMOS MESES? _____

_____

_____

_____

Ser yo está bien

Estos cinco minutos siguientes los vas a dedicar a recordar y celebrar la persona que eres. Haz una lista de lo que consideras que son tus diez mejores cualidades; por ejemplo, «soy divertido, inteligente, creativo, compasivo, poderoso, empático...», y así hasta diez.

Intenta evidenciar estas cualidades en todo lo que haces, que no solo tú las conozcas y disfrutes, sino que contagien a todo el que se cruce hoy en tu camino.

1 ▶
....

2 ▶
....

3 ▶
....

4 ▶
....

5 ▶
....

6 ▶
....

7 ▶
....

8 ▶
....

9 ▶
....

10 ▶
....

Conversación con mi yo de noventa y nueve años

Vamos a imaginar que eres mayor, muy mayor... Tienes noventa y nueve años, y eres una persona sabia y con una salud perfecta. Tu «yo» mayor y sabio va a hablar con la persona que eres ahora mismo. Imagina esta conversación y contesta a las tres preguntas que le haces a tu «yo» mayor:

¿QUÉ QUIERES QUE SEPA QUE AHORA MISMO NO SÉ?

....

....

¿EN QUÉ DEBERÍA CONCENTRARME EN LOS PRÓXIMOS DÍAS? ¿Y EN LOS PRÓXIMOS MESES Y AÑOS?

....

....

¿QUÉ DEBO EXPERIMENTAR O HACER QUE VAYA A TENER UN IMPACTO MUY POSITIVO EN MI VIDA?

....

....

RUTINAS EXPRÉS PARA CELEBRAR LAS TRANSICIONES

¿Te has fijado en lo difíciles que nos resultan las etapas de transición? Los aniversarios y cambios de década, los nervios antes de casarnos, la angustia antes de jubilarnos o durante la adolescencia, los cambios de pareja... Necesitamos controlar nuestra vida para sentirnos seguros. Pero ¡no podemos evitar que los cambios, y con ellos las transiciones, ocurran! En cambio, sí que podemos decidir cómo vamos a responder a estos cambios, a esos tiempos de espera.

¡Los cambios son rápidos, pero las transiciones son lentas! Cada transición o cambio importante en nuestras vidas requiere pasar, soportar incluso, lo que el escritor William Bridges[11] llama «zona neutra», una incómoda etapa de transición, un compás de espera aparentemente improductivo durante el que nos sentimos emocionalmente desconectados de las personas y cosas no solo del pasado, sino también del presente: «No estamos seguros de lo que nos está pasando o de cuándo se acabará. No sabemos si nos estamos volviendo locos o si estamos alcanzando la iluminación..., la vieja realidad parece transparente y ya nada parece sólido.»

Por desgracia, dice Bridges, esta zona neutral «es la fase del proceso de transición a la que el mundo moderno presta

---

[11] *Managing Transitions: making the most of change*: https://www.mindtools.com/pages/article/bridges-transition-model.htm.

menos atención. Si nos tratamos a nosotros mismos como electrodomésticos que se pueden enchufar y desenchufar a voluntad o como coches que arrancan o se apagan girando una llave, significa que hemos olvidado la importancia del tiempo improductivo, y del invierno, y de los silencios en la música. Que hemos abandonado todo un sistema de tratar con la zona neutral a través del ritual, y que hemos intentado manejar el cambio personal como si fuera algún tipo de reajuste. Y que, al hacerlo de esta manera, hemos perdido cualquier método para darle sentido a la sensación de pérdida y de confusión con la que nos encontramos cuando hemos pasado por la desconexión, el desencanto o la desidentificación».

Para acompañarte y navegar por estas etapas de cambios, aquí tienes diez rutinas para celebrar tus transiciones y ayudarte a gestionar el cambio como un proceso, a crear nuevos hábitos, abrirte a nuevos pensamientos... ¡y reinventarte!

Una rutina para dejar ir lo que te agobia[12]

Decenas de miles de veces, cada día de tu vida, sin que seas consciente de ello, tu respiración cambia, viene y va, entra y sale de tu cuerpo. Los eventos de tu vida también vienen y van. Nada es constante. Todo cambia. La forma que tienes de enfrentarte a estos cambios —si eres capaz de dejar ir lo que fue y de formar parte del presente— tiene un impacto enorme en tu salud y bienestar. Es un factor determinante para predecir la longevidad y la calidad de tu vida.

Puedes elegir entre la frustración por lo que crees que has perdido y sentirte dolido por ello, incluso pasarte una vida entera lamentando una infancia mejorable, una oportunidad perdida o una relación que salió mal, o bien puedes celebrar el regalo diario que ofrece la vida: la renovación constante, cada aliento.

Podemos disfrutar y saborear todo lo que recibimos a lo largo de una vida, pero ¡no podemos guardarlo para siempre! Cada experiencia vital se detiene, saluda y sigue. Como un invitado educado, solo nos visita durante un tiempo breve. No se queda a vivir.

LA RUTINA: Aquí tienes una práctica para aprender a dejar ir las cosas con la misma naturalidad con la que respiras.

▶ Elige algo a lo que te cueste renunciar, un viejo resentimiento o dolor, un juicio de valor sobre ti mismo, una relación complicada, y decide que te vas a liberar de esto. En el pasado sin duda te ha parecido que era lo suficientemente importante como para no dejarlo ir. Ahora, decide que ya puedes liberarte de ello.

LO QUE QUIERO DEJAR ATRÁS:

....

....

....

....

[12] Rutina adaptada de las propuestas de Barry Sultanoff, miembro del American Holistic Medical Association.

CÉNTRATE EN TU RESPIRACIÓN, en el ir y venir en tus pulmones, del oxígeno que te da vida. Siente, o imagina, el suelo del diafragma debajo de tus pulmones y deja que se relaje, mientras sube y baja con cada respiración. Imagina que lo que quieres dejar ir se aleja de ti físicamente, un poco más lejos con cada respiración.

Kaizen, una estrategia para el cambio tranquilo

«Un viaje de mil millas empieza con el primer paso.» **LAO TZU**

Cambiar nos resulta difícil a todos, y es normal sentir miedo o resistencia a cambiar porque estamos programados para ser sensibles a la incertidumbre, para estar alerta ante los cambios... pero ¡no dejemos que eso se convierta en una ansiedad que nos paralice y nos impida adaptarnos y aprender!

Los procesos de cambio son necesarios y no tienen por qué ser traumáticos, sobre todo si los iniciamos nosotros. Hay una técnica sencilla para ello que te ayudará a poner en marcha de forma agradable cambios en los ámbitos de tu vida que prefieras.

SABÍAS QUE...

¿Cómo nació Kaizen? Después de la segunda guerra mundial, los japoneses aplicaron los métodos del experto en eficiencia Edward Deming y los transformaron en el denominado Kaizen, una proceso que nos invita a abordar los cambios que necesitamos desde una perspectiva muy modesta y sencilla.

El Kaizen — el "cambio tranquilo"— es muy útil para todos aquellos a los que nos cuesta enfrentarnos a grandes cambios, como por ejemplo dejar de fumar. La forma Kaizen de dejar de fumar consistiría, en primer lugar, en plantearte dar un paso en esa dirección, como dejar de fumar en tu coche. Cuando ya te hayas acostumbrado a ello, puedes cambiar de marca de tabaco, y elegir una con menos nico-

tina; y luego dejar de fumar en casa, y así, paulatinamente, ir dando pasos pequeños para conseguir tu meta final: dejar de fumar del todo. ¿Quieres adelgazar? Haz ejercicio aunque solo sea treinta segundos cada día. Después de una semana, lo incrementarás fácilmente, y aguantarás un minuto, luego cinco minutos, hasta tal vez llegar a una sesión de ejercicio de veinte minutos.

LA RUTINA: Para empezar tu propio Kaizen, siéntate y haz una lista de las áreas de tu vida que quisieras mejorar. Para cambiar poco a poco, plantéate preguntas modestas y sugerentes, como, por ejemplo: ¿Cómo puedo liberar diez minutos cada día para ir a dar un paseo? o ¿Qué cosa sencilla podría hacer hoy para mejorar mis relaciones con los demás? **Las preguntas pequeñas no dan miedo. Se trata de enfrentarnos a nuestras vidas de forma tranquila, cambiando poco a poco sin temor ni traumas.**[13]

Imagina cómo sería hoy tu vida si llevases unos años haciendo de forma consciente pequeños cambios día a día. O mejor aún, ¡imagina cómo será tu vida dentro de unos años si empiezas a hacer estos cambios hoy mismo!

PEQUEÑAS MEJORAS:

EN CASA ....

....

EN EL TRABAJO ....

....

CON LA FAMILIA...

....

CON MI PAREJA ....

....

CON LOS AMIGOS ....

....

[13] Una buena herramienta de autoconocimiento y cambio personal, y además gratuita, la podemos encontrar en http://www.descubrelafp.org/rutasparalavida/menu.html.

Una imagen para acompañarte cuando esperas

PERSONAS QUE INSPIRAN...

CARL JUNG (1875-1961).

Fundador de la psicología analítica, utilizó los sueños, el arte, la religión y la mitología para comprender la mente humana. Se interesó en particular por el inconsciente, un ámbito amplísimo de nuestra mente al que no tiene acceso el consciente, pero que nos influye a cada paso. Una diferencia notable entre la teoría del inconsciente de Freud y la de Jung es que el primero creía que si las memorias del inconsciente salieran a flote podrían afectar la estabilidad mental de la persona; Carl Jung, en cambio, percibía la mente inconsciente como el área de la mente donde se encontraba la creatividad en su máximo potencial, y creía necesario que cada persona intente descifrar su contenido.[14]

Uno de los recursos que Jung creía necesarios para explorar nuestro inconsciente individual y colectivo son las imágenes; por ejemplo, las que nos llegan cuando soñamos. «Un sueño sin interpretar es una carta sin abrir. El remitente de la carta es tu inconsciente, que tiene un mensaje para ti», decía el psiquiatra suizo. Y es que la mente humana tiene un ámbito mental y emocional que nos influye de forma soterrada pero muy potente, el inconsciente, al que las palabras y los conceptos llegan con dificultad, y que se expresa más cómodamente sin palabras, con sonidos o imágenes.

---

[14] En la web se pueden encontrar videos sobre Jung con material muy interesante.
Por ejemplo, en https://www.youtube.com/watch?v=QxL5Jx4QKRQ.

El milenario libro oracular chino del *I Ching*[15] contiene muchas imágenes útiles para hacernos reflexionar, consolarnos o inspirarnos en etapas de cambio y transición; esas imágenes se conocen como hexagramas. Uno de mis hexagramas preferidos es el cinco, «Esperando el final de la lluvia». Se compone de los símbolos del cielo y del agua, y representa la imagen de una persona que espera a que se disipen las nubes, a que pase la tormenta. O lo que es lo mismo: una persona en un tiempo de transición o de espera. Dice la escritora y comentarista del *I Ching* Lise Heyboer que el hexagrama cinco nos sugiere una espera activa y alerta, para que nada se nos escape: «La creatividad no es obediente. Uno no puede reclamarla y exigir que se presente. Pero aprender a esperar de forma abierta y tranquila ayuda a que las nubes se disipen y lleguen los rayos de sol que impulsan el crecimiento. Muchas cosas llegan porque sabemos esperar, más que actuar, como si uno abriese una puerta cósmica invisible para ellas. Tu propia actitud es esa puerta. Espera con la actitud correcta y actúa cuando sea la hora. Deja espacio también para ese elemento inexplicable que a veces hace que las cosas ocurran sin que las hayas buscado».

LA RUTINA: ¡Déjate acompañar por una imagen que te inspire! Puedes centrarte en ella en silencio, dedicándole unos minutos cada día, o bien dibujar o escribir acerca de la imagen, o tenerla más o menos presente a lo largo de la jornada, mostrándote abierto a lo que te sugiere, como si fuera un sueño y tuviese un mensaje para ti.

Pega aquí una imagen
que te reconforte y acompañe.

[15] El *I Ching*, que en chino quiere decir «libro de las mutaciones», es un libro adivinatorio, filosófico y cosmogónico compuesto por sesenta y cuatro imágenes o hexagramas, que evocan etapas y estados característicos de la vida humana. Sus primeros textos se remontan al año 1200 a. C. Jung habló de él ampliamente en una de las primeras traducciones que se hicieron al alemán: http://www.iging.com/intro/foreword.htm.

Tu lista de prioridades[16]

«Concédeme la serenidad
para aceptar las cosas que no puedo cambiar,
el valor para cambiar las que puedo cambiar,
y la sabiduría para conocer la diferencia.»

REINHOLD NIEBUHR

LISTA DE PRIORIDADES

_____

_____

_____

_____

_____

_____

No siempre logramos distinguir claramente entre lo urgente y lo importante. Esta rutina te ayudará a replantearte tus prioridades vitales, aquello que quieres que sea importante en tu vida.

LA RUTINA: Toma una hoja en blanco. Escribe «Estas son mis prioridades» y apunta rápidamente tus diez prioridades actuales. El orden no importa, déjate llevar y hazlo rápidamente. Al día siguiente, dedica unos minutos a revisar el orden de tus prioridades y cambia lo que quieras, tachando, añadiendo y reorganizando. Durante unos días, lleva tu listado contigo y revísalo de vez en cuando. Cuando te sientas bien con ese listado, compáralo con tu listado original. ¿Qué ha cambiado?

---

[16] Adaptación de un artículo del psicoanalista Walter J. Urban, autor de *Integrative Therapy* y *Lifestyle Psychotherapy*.

«SER JOVEN Y BELLO
ES UN ACCIDENTE
DE LA NATURALEZA,
PERO SER VIEJO Y
BELLO ES UNA OBRA
DE ARTE.»

ELEONOR ROOSEVELT

Combate el edadismo[17]

El edadismo, que nos lleva a juzgar y categorizarnos a nosotros mismos o a otra persona en función de la edad, es una lacra tan corriente como dañina. Desgraciadamente, los estereotipos y actitudes negativas propiciados por el edadismo están tan presentes en nuestra forma de pensar y de vivir que no solemos siquiera reparar en ellos. De hecho, a medida que cumplimos años solemos incorporar a nuestro propio discurso interno los prejuicios del edadismo. ¿Cómo puedes evitar limitarte con creencias edadistas?

LA RUTINA:

1 Descubre cuál es tu creencia más dañina respecto a tu edad. Por ejemplo: ¿crees que eres demasiado mayor para empezar una nueva afición, vivir con otra persona o viajar a algún lugar? Si tu respuesta es SÍ, entonces tu creencia te está limitando, sobre todo si no es un hecho comprobado.

Si te cuesta descubrir qué te está limitando, te aconsejo que hables con un profesional, un psicólogo o un *coach*, para que te ayuden a desvelar los patrones detrás de tus pensamientos.

2 Cambia tu relato o creencia, para que te ayude a progresar en vez de limitarte. Por ejemplo, si tu creencia es «soy demasiado viejo para este trabajo», prueba a cambiarlo hoy con algo que te dé fuerza positiva, como «tengo mucha experiencia para este trabajo». ¡Recuerda que tus pensamientos te llevan a actuar, que tus acciones conforman tus hábitos, y que estos crean tu carácter, que a su vez define tu destino!

SOY DEMASIADO VIEJO PARA...

_____

_____

_____

[17] Estrategias del *coach* Jason Dukes.

SABÍAS QUE...

No haber viajado más, no haber mantenido el contacto con viejos amigos y haber pasado demasiado tiempo con el compañero equivocado encabezan las listas de lo que las personas suelen lamentar. Una quinta parte de estas personas dicen que la culpa había sido de su miedo a lo desconocido o de su falta de confianza.

«LO MEJOR DE CUMPLIR AÑOS ES QUE NO PIERDES TODAS LAS DEMÁS EDADES QUE YA HAS TENIDO.»

MADELEINE L´ENGLE

El diario de los pequeños éxitos[18]

LA RUTINA: Escribe cada día un pequeño éxito, un momento en el que te has sentido orgulloso de ti mismo, ¡aunque solo sea levantarte de la cama! Pon el papel en la puerta de la nevera, o donde puedas verlo, y añade uno cada día. En una semana tendrás siete logros, treinta en un mes y trescientos sesenta y cinco al final del año.... ¡Y eso son muchos pequeños éxitos!

¿Importará dentro de cinco años?

Aquí tienes una pregunta que puede ayudarte a poner las cosas en perspectiva, para, como dice el refrán, asegurarte de que los árboles te están dejando ver el bosque.

LA RUTINA: Cuando algo te descoloca, para comprobar si de verdad es importante pregúntate: ¿Esto me importará mañana? ¿Y la semana que viene? ¿Y el año que viene? ¿Y dentro de cinco años? Si la respuesta es NO, probablemente no merezca ni tu tiempo ni tu energía.

---

[18] Una rutina de Charlotte Reznick, Ph.D., psicóloga infantil y profesora de psicología clínica en la Universidad de California / Los Ángeles (UCLA).

El pesimismo defensivo[19]

¿Qué te preocupa? ¿Y cómo te enfrentas a ello? A veces, un poco de pesimismo defensivo puede ayudar a aliviar las preocupaciones. De hecho, a veces es mejor enfrentarnos a nuestras preocupaciones que intentar evitar pensar en ellas... ¿Cuándo es mejor? Cuando te sea posible disponer de un plan B, una alternativa antes de ese «posible desastre».

Así es como funciona: nuestra mente, cuando está preocupada, tiende a paralizarse y a ser menos creativa. Ante ello, pregúntate: ¿Qué es lo peor que me puede pasar..., si mi novia me deja..., si suspendo este examen..., si pierdo el trabajo?

El pesimismo defensivo es una forma de sentir más confianza en tus habilidades para adaptarte y encontrar soluciones. Eso no es lo mismo que ponerse en lo peor, sino que sirve para asegurarte de que podrías enfrentarte a una situación difícil. No te gustaría, pero ¡puedes hacerlo! Incluso podría tener alguna ventaja. En cualquier caso, serías capaz de enfrentarte a ello.

LA RUTINA: Esta técnica calma a las personas más ansiosas y, una vez tienes claro un plan B ante las eventualidades y contratiempos, ayuda a la mente a relajarse y no centrarse en el miedo.

«No me gustaría que me pasara eso, pero ¡puedo afrontarlo!»

[19] Adaptado del libro *El poder positivo del pensamiento negativo*, de Julie K. Norem (Paidós, 2002).

PESIMISMO DEFENSIVO

¿QUÉ ES LO PEOR QUE ME PUEDE PASAR SI...

_____

_____

_____

_____

_____

_____

SI ESO ME PASA, ESTE ES MI PLAN B:

_____

_____

_____

_____

Escribe
tu autobiografia

LA RUTINA: Escribe tu autobiografía. Recordar y fijar por escrito lo que te parece más relevante de tu vida te ayudará a encontrar un sentido al pasado y te sugerirá posibilidades para el futuro.

El árbol
de las posibilidades

Completa este árbol. En rojo, pon las ramas de las cosas que ya han pasado y que han sido importantes en tu vida, para bien y para mal. Cuelga de la rama una palabra que exprese ese evento (por ejemplo: «Nacimiento», «Antonio», «Radio», «Enfermedad», «Hijo») Cuando lo hayas hecho, añade en verde las ramas que representan las posibilidades para el futuro. Escribe dentro de la rama verde una palabra que exprese esa posibilidad; por ejemplo: «Viaje a Bután», «Nueva ciudad», «Libro», «Hijo», «Jardín».

REGÁLATE UN DÍA DE DESCANSO

RUTINAS EXPRÉS PARA DESCANSAR Y DESCONECTAR

Un campo que descansa, decía Ovidio, da una cosecha magnífica. ¿Necesitas frenar el tiempo, respirar hondo, darte un baño caliente, relajarte, viajar en el tiempo, calmarte, bajar las revoluciones? ¡Bienvenido! Estas son tus rutinas, pequeñas revoluciones para no hacer nada, tomar perspectiva y regresar con más fuerza.

La respiración completa[20]

Respirar bien es fundamental, y no siempre lo hacemos correctamente. Respirar solo a través del pecho implica usar únicamente los lóbulos superiores de los pulmones; ello es ineficiente, así no aprovechamos al máximo nuestra capacidad pulmonar, y como resultado se transfiere menos oxígeno a los pulmones y se produce una entrega de nutrientes más pobre al cuerpo.

Para comprobar cómo respiras ahora mismo, siéntate confortablemente y respira como sueles hacerlo. Pon la mano derecha sobre el pecho y la mano izquierda sobre el estómago.

Respira. ¿Qué mano se levanta más? Si tu mano derecha sube más, respiras con tu pecho; si por el contrario tu mano izquierda sube más, respiras con el estómago. Para una respiración correcta, debería levantarse más la mano que tienes sobre el estómago, a medida que tu diafragma se expande. Practica esta respiración varias veces. Vuelve a hacerlo a lo largo del día, conscientemente, acostumbrándote a la sensación de esta respiración «completa».

LA RUTINA: RESPIRACIÓN COMPLETA EN TRES PASOS

Aprende a respirar de forma completa en tres pasos, sentándote recto y exhalando hasta que no quede aire en tus pulmones.

1 Inhala y relaja tus músculos del estómago. Este se expandirá al llenarse de aire.

2 Cuando deje de expandirse, continúa inhalando y siente cómo los pulmones se expanden. Cuando te sientas lleno de aire, como un globo, mantén la respiración por un momento.

3 Exhala lentamente, relaja tu pecho y la caja torácica, y mete tu estómago hacia dentro para forzar a salir el aire que aún queda.

▶ Cierra los ojos, relájate completamente, céntrate en tu técnica de respiración. Continúa respirando así durante unos cinco minutos.

---

[20] Adaptación de un texto de Ashlee Green.

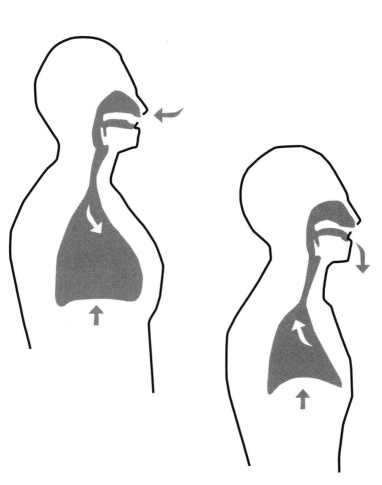

SI QUIERES, PUEDES PRACTICAR LA RESPIRACIÓN CON TU CANCIÓN FAVORITA.
LA MÍA PARA ESTA RUTINA ES: BREATHE IN, DE DADDY WAS A MILKMAN*

SABÍAS QUE...

Las personas con altos niveles de estrés y ansiedad tienden a respirar a través del pecho. La respiración superficial a través del pecho interrumpe el equilibrio de oxígeno y dióxido de carbono necesario para un estado de relajación, e intensifica el sentimiento de ansiedad.

* Puedes encontrar la banda sonora del libro en la web elsapuset.com.

Una imagen para desconectar[21]

Visualizar o imaginar algo relajante te puede ayudar a desconectar porque relaja los músculos y porque te ayuda a dejar de pensar en cosas que te preocupan.

La visualización se ha considerado tradicionalmente una herramienta potente en numerosas culturas, desde los indios navajos hasta los antiguos egipcios y griegos, entre ellos Aristóteles e Hipócrates, que pensaban que las imágenes negativas pueden causar enfermedades y las positivas ayudar a curar.

En cualquier caso, las imágenes son el idioma que la mente usa para comunicarse con el cuerpo. La mente todo lo procesa con imágenes: nuestros recuerdos se almacenan en la memoria como imágenes, no necesariamente visuales, sino también sonidos, sensaciones... Piensa, por ejemplo, en que tienes en la mano un limón fresco y jugoso. Tal vez puedes sentir ahora mismo su textura, el color amarillo brillante de su piel. Pártelo por la mitad con un cuchillo. El jugo salta y todo huele a limón. Ahora dale un mordisco, chúpalo y saborea el sabor amargo mientras el jugo te llena la boca... ¿Cómo ha reaccionado tu cuerpo ante ese visualización? ¿Sientes quizá más saliva en la boca? Esa es la prueba de que las visualizaciones tienen consecuencias y nos pueden ayudar en determinados momentos.

¡Aprovecha el poder de las imágenes para desconectar y relajarte!

---

[21] Adaptación de http://www.holisticonline.com.

LA RUTINA:

◗ Ponte ropa cómoda. Siéntate o túmbate. Baja las luces. Cierra los ojos. Respira lentamente.

◗ Imagina que estás frente a unas escaleras. Mira cada escalón, sintiendo cómo te vas relajando poco a poco...

◗ Cuando te sientas relajado, imagina un paisaje o lugar que te guste, una playa, la montaña o una reunión con amigos... Baja las escaleras y llega a ese lugar.

◗ Intenta usar la misma escena o paisaje cada vez que quieras relajarte con esta técnica. Disfruta de las sensaciones placenteras que te produce.

◗ Cuando termines tu sesión, respira hondo una pocas veces e imagina que subes la escalera para regresar a tu día a día. Abre los ojos, estírate... ¡y sigue con tus actividades!

Pon aquí una imagen de un lugar
que te ayuda a relajarte

El barrido de espalda[22]

El barrido de espalda (*spinal flush*, en inglés) es una técnica muy popular en algunos foros de medicina natural. La teoría es que la espalda tiene meridianos que afectan al sistema linfático y a la energía vital del cuerpo. Masajear o acariciar estos puntos podría resultar beneficioso, y, en cualquier caso, es una experiencia realmente agradable. ¿Quieres intentarlo?

LA RUTINA:

Necesitas un compañero al que dar el barrido de espalda, o que te lo pueda dar a ti. La persona puede estirarse en el suelo o apoyarse contra la pared.

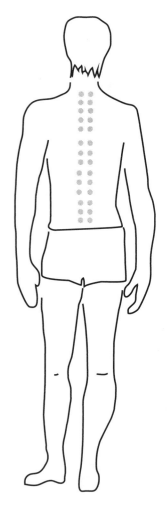

▶ **LA VERSIÓN LENTA:** empieza desde el cuello. Masajea con tus pulgares a cada lado de la columna de tu compañero. Masajea también los espacios entre las vértebras, suavemente. Estarás moviendo la piel con un movimiento circular. Quédate unos cinco segundos en cada vertebra. Pide a tu compañero que te diga dónde siente necesidad de que el masaje sea un poco más firme. Termina con la versión rápida.

▶ **LA VERSIÓN RÁPIDA:** si solo dispones de unos segundos, abre las palmas de las manos y haz un movimiento de barrido desde los hombros hasta el trasero de tu compañero. Repite dos o tres veces.

▶ **LA VERSIÓN INDIVIDUAL, O BARRIDO:** es más difícil, pero ¡no imposible! Con las manos sobre el cuello, masajea tus vértebras. Pasa las manos a la cintura y sube cuanto puedas para masajear tu espalda. Si algún punto está «tierno», masajéalo unos cinco segundos y sigue descendiendo.

---

[22] Adaptado de la *coach* Gwenn Bonnell: www.tapintoheaven.com.

La relajación progresiva

La relajación progresiva es una técnica que nos invita a ser conscientes de la diferencia que hay entre nuestros músculos cuando están tensos, y cuando están relajados. ¿Cómo?

LA RUTINA: Vamos a tensar nuestros músculos y relajarlos por turnos. Estírate en la cama o en el sofá. Empieza por tu cara, tensando firmemente tus músculos faciales unos segundos y luego soltando (harás una mueca tremenda). Sigue descendiendo por cada grupo muscular —hombros, brazos, pecho, espalda, abdominales, etc.—, tensando fuerte y después relajando, y termina por los pies.

Cada vez que tenses un grupo muscular, exhala hondo cuando lo relajes.
Cuando tu cuerpo esté relajado, ¡tu mente lo imitará!

Una estrategia para frenar el tiempo

LA RUTINA:

En cualquier momento del día en el que quieras bajar el ritmo, relajarte, haz lo que estabas haciendo pero a la mitad de velocidad. No importa que sea lavarte los dientes, podar un árbol, pasear, fregar una cazuela, bajar las escaleras del metro, lavarte el pelo, enviar un mensaje... Hazlo de forma consciente, centrándote en la lentitud de tus gestos. Será un momento sereno de meditación, sin interrumpir tus quehaceres diarios.

Calmarse en segundos

Para calmarte en segundos, puedes recurrir a la técnica yogui de control de la respiración, conocida como Pranayama.

LA RUTINA: Se trata de controlar cuando inhalas y cuando expiras. El doctor Jeffrey Rubin[23] explica que las exhalaciones más largas tienden a calmarnos, mientras que las inspiraciones más largas tienden a energizarnos. Por tanto, un método eficaz para calmarnos es exhalar más despacio. Pruébalo cuando necesites un respiro. Funciona.

Una siesta poderosa[24]

Los estudios son contundentes: dormir bien y suficientes horas ayuda a prevenir muchos problemas físicos y mentales. Además, las siestas breves —en inglés *power nap*, o «siesta poderosa»— pueden mejorar el pensamiento creativo y la memoria, además de consolidar el aprendizaje.

LA RUTINA: Las siestas poderosas duran entre diez y veinte minutos. Si duermes más, entrarás en ciclos de sueño más profundos y cuando despiertes te costará despejarte. Si necesitas una siesta larga, mejor duerme todo el ciclo de sueño REM, unos noventa minutos.

SABÍAS QUE...

Nuestros cuerpos se cansan después de unas ocho horas despiertos, así que un buen momento para una siesta poderosa puede ser entre las dos y las cuatro de la tarde.

[23] http://greatist.com/p/jeffrey-rubin.
[24] Adaptación de http://greatist.com/p/jeffrey-rubin.

Unas posturas de yoga regenerador

LA RUTINA: Ponte ropa cómoda o un pijama, y prueba estas posturas de yoga regeneradoras para sentirte mejor, más relajado, más centrado... Como guía general, mantén cada postura unos dos o tres minutos (unas veinte respiraciones) o el tiempo que te pida el cuerpo... ¡Hasta que consigas aliviar la tensión y el cansancio!

APRIETA
«PAUSA»

Los beneficios de un baño caliente

¿Sabes por qué resulta relajante darse un baño antes de dormir? De noche, antes de dormir, la temperatura corporal baja, descendiendo al máximo en torno a las cuatro de la mañana.

Cuando tomas un baño caliente, tu temperatura sube. Y lo que te relaja es la bajada pronunciada de temperatura que experimentas cuando sales del baño caliente...

LA RUTINA: Para ayudarte a desconectar dos horas antes de ir a dormir, date un baño caliente durante unos veinte o treinta minutos. Si elevas tu temperatura uno o dos grados, la caída posterior te ayudará a conciliar el sueño más profundamente. Una ducha también funciona, pero puede ser un poco menos eficaz.

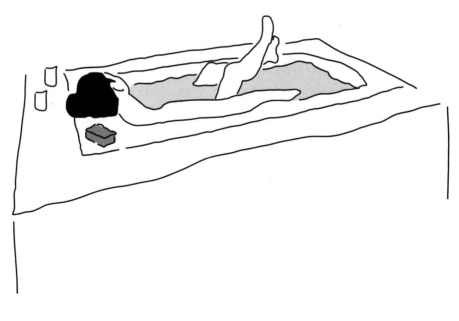

Una bebida reconfortante

Té de camomila y lavanda:

Este té combina dos de las hierbas más relajantes que conocemos. Se cree que la camomila tiene efectos sedantes gracias a un flavonoide natural llamado apigenina, que actúa sobre los receptores GABA en el cerebro (un impacto parecido al que tienen algunas medicinas antiansiedad). Esto tiene un efecto sobre el sistema nervioso central que nos ayuda a dormir.

Por su parte, la lavanda tiene un aroma que se ha utilizado durante siglos para calmar a las personas. Un estudio reciente sugiere que su olor tiene un impacto en las ondas cerebrales.

La miel provoca un pequeño subidón de insulina que facilita la asimilación del triptófano, un aminoácido precursor de la serotonina, que a su vez se convierte en la melatonina que regula el sueño.

LA RUTINA:

PARA HACER ESTA TISANA VAS A NECESITAR:

1 cucharada (o bolsita) de lavanda
1 cucharada (o bolsita) de camomila
Agua hirviendo
Miel para endulzar, al gusto

Vierte el agua hirviendo sobre la lavanda y la camomila; deja reposar unos minutos y añade la miel si lo deseas.

SABÍAS QUE...

Para que tu cuerpo genere melatonina, esa hormona que te hace sentir sueño, necesita que haya poca luz. Pon reguladores de luz en la iluminación de tu casa para generar ambientes propicios al sueño. Evita asimismo la luz azul (excitante, propia de la mañana) de tu ordenador filtrándola con Apps gratuitas (como https://justgetflux.com/) para minimizar tu exposición a la luz azul antes de dormir.

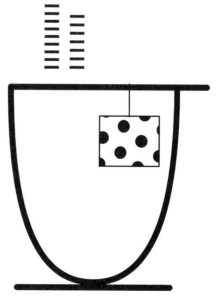

BLOQUE 2

CARA A CARA CON LAS EMOCIONES NEGATIVAS

Well she calls me up when she´s broken,
Says to leave my front door open,
I come home to find her smoking
With her eyes all fragile and thin,
she´s always been hopeless at hoping
And coped badly with coping,
and I never know when she´s joking
She never lets anyone in.

Me llama cuando está rota,
Me dice:«Deja tu puerta abierta»,
cuando llego a casa la encuentro fumando
Con sus ojos tan frágiles y delgados,
ella nunca ha sabido tener esperanza
Ni enfrentarse a lo que hay que hacer frente,
y yo nunca sé cuando está de broma
Porque no deja que nadie se acerque.

PASSENGER, *Catch in the Dark*

⚡ BLOQUE 2: CARA A CARA CON LAS EMOCIONES NEGATIVAS

«ACEPTAMOS EL AMOR QUE CREEMOS MERECER.»

STEPHEN CHBOSKY

RUTINAS EXPRÉS PARA QUERERME MÁS

Nuestros pensamientos brotan en gran medida de la necesidad ciega de que nos acepten y nos quieran. Y para ver si estamos ganando o perdiendo la batalla de la aprobación de los demás, nos monitorizamos constantemente: «¿Por qué no me sonrió?», «¿Hice bien en decirle esto?», «¿He causado una buena impresión?». Castigamos o recompensamos a los demás en función de nuestra necesidad carnívora de pertenencia y aceptación. Lo que subyace en esta lucha interesada por ganar la aprobación del resto del mundo es la convicción, casi nunca cuestionada, de que si los demás no nos aprueban no valemos nada. Al final, es tentador conformarse y limitarse para que nos quieran. Por ello decía Oscar Wilde que la mayor parte de las personas son otras personas, sus pensamientos son las opiniones de otros y sus vidas, una mera imitación.

Piensa por un instante: ¿Quién es la persona más dura o crítica contigo que conoces? Probablemente, esa persona eres tú. Y es que es esa voz crítica que llevamos en la cabeza... ¡es tan difícil callarla!

Cuando recuerdas que todos nos equivocamos o fallamos, no sólo mejoras tu músculo de autocompasión, sino que además te sientes más cerca de los demás. Somos imperfectos. No pasa nada. Forma parte de la vida. Y eso nos une a todos. ¡Acéptalo e intégralo a tu vida!

REFORMULA TU VOZ CRÍTICA DE FORMA POSITIVA Y QUIÉRETE.

Poses poderosas[25]

Hay un gesto universal que muestra inequívocamente que nos sentimos poderosos: nos plantamos firmemente en la tierra y levantamos los brazos al cielo. Es el gesto del ganador, del triunfador.

En cambio, cuando nos sentimos débiles y vulnerables, nos hacemos más pequeños en todos los sentidos. En vez de ocupar más espacio, encogemos nuestras posturas, nuestros gestos, nuestra forma de caminar, incluso nuestras voces. Y los demás nos perciben entonces como personas sin poder y asustadas.

Mereces comportarte y presentarte al mundo con poses poderosas: abiertas, erectas, firmes. Ocupa tu espacio. Cuando tu cuerpo adopta poses poderosas, no solo pareces más poderoso: lo eres de verdad. ¡Tu mente se contagia! Cambia tu perfil hormonal: sube tu testosterona, la hormona que te hace sentir fuerte, y baja tu cortisol, la hormona que te hace sentir nervioso.[26]

LA RUTINA: Adopta cada día, siempre que puedas, poses poderosas: te sentirás más seguro, más confiado, más fuerte. Hazlo al despertar, antes de una reunión importante, frente al espejo en el baño... ¡Y disfrútalas! Quédate en la pose poderosa que elijas al menos unos segundos, para que tu mente se contagie de tu cuerpo. Solo con imaginarlas ya funciona.

DOS POSES PODEROSAS

BRAZOS EN JARRAS: Una pose de afirmación que saca al héroe o heroína que llevamos dentro. No conviene abusar de ella, porque en exceso puede parecer agresiva.

«HE GANADO»: El genial Steve Jobs, durante sus presentaciones, abría sus brazos y se mostraba totalmente abierto, en un gesto absoluto de confianza en sí mismo.

[25] Más información en el popularísimo Ted Talk de Amy Cuddy:
https://www.ted.com/talks/amy_cuddy_your_body_language_shapes_who_you_are?language=es
[26] Los estudios que cita Amy Cuddy en su libro *Presence* muestran un incremento medio del 19 por ciento en testosterona y una bajada del 25 por ciento en cortisol cuando nos asentamos en esa postura.

«EN TODOS LOS RINCONES DEL MUNDO Y EN TODOS LOS CAMINOS DE LA VIDA HAY PERSONAS QUE SE ESFUERZAN PARA REUNIR EL CORAJE NECESARIO PARA HABLAR EN CLASE, PARA IR A UNA ENTREVISTA DE TRABAJO, PARA HACER UNA AUDICIÓN, PARA AFRONTAR LAS DIFICULTA-DES DE SU DÍA A DÍA, PARA DEFENDER AQUELLO EN LO QUE CREEN O, SIMPLEMEN-TE, PARA ESTAR EN PAZ CONSIGO MISMOS.»

AMY CUDDY, *PRESENCE*

Una bienvenida exprés

El contacto visual es la forma más intensa de comunicación no verbal. La conexión emocional que logran dos personas cuando conversan depende en buena medida de cuántas veces se miran a los ojos. Cuando se establece el vínculo emocional, este contacto visual puede ocupar entre el 60 y 70 por ciento del tiempo. Para generar en pocos segundos un ambiente de bienvenida, basta con establecer contacto visual con los demás, o incluso contigo mismo.

LA RUTINA: En grupo, mantener contacto visual de forma deliberada, sonriendo o riendo.
En casa, mírate al espejo, sonríete y date la bienvenida.

Reconoce tus fortalezas

Es fácil confundir la autoayuda con la creencia implícita de que tenemos que cambiarlo casi todo de nosotros mismos. ¡Esto no es así! Una parte importante del proceso de conocerse a uno mismo es llegar a ser más objetivos y positivos con respecto a nuestras fortalezas, habilidades y cualidades. Cuando lo logres, será como volver a casa después de un largo viaje.

LA RUTINA: ¿Qué fortalezas, habilidades o cualidades tengo a las que no presto la suficiente atención? Piénsalo a lo largo del día de hoy y esta noche apunta una de ellas aquí.

UNA FORTALEZA O HABILIDAD QUE TENGO:

....

Dale un respiro a tu cuerpo

Cada vez que comes, tu cuerpo tiene que asimilar la comida para poder extraer los nutrientes. Por ello, comer demasiado desgasta el cuerpo. En cambio, beber al menos 1,5 litros de agua al día te mantendrá hidratado y apacigua la sensación de hambre.

¿No tienes tiempo para cuidarte mejor? Al menos, ¡dale un respiro a tu cuerpo! Prueba un día entero comiendo ligero y constata cómo te sientes a la mañana siguiente.

LA RUTINA: Elige un día de esta semana, el que prefieras, y come ligero de la mañana a la noche. Por ejemplo, fruta para desayunar, una ensalada variada para comer y una sopa consistente para cenar. Bebe hoy a conciencia entre 1,5 y 2 litros de líquido: agua, agua con limón, té de hierbas, zumos naturales... Observa cómo te sientes al día siguiente.

Reemplaza pensamientos negativos con pensamientos positivos [27]

No solemos dedicar tiempo a reflexionar sobre la naturaleza de nuestros pensamientos, pero los pensamientos exageradamente negativos, tipo «todo siempre me sale mal», tienen un impacto sobre tu cuerpo y tu comportamiento, y además te limitan mucho. ¡Pilla y transforma tus pensamientos negativos antes de que te hagan daño!

LA RUTINA: Imagina que tus pensamientos negativos son rojos y tus pensamientos positivos son verdes. Una manera de cambiar tus pensamientos de negativos a positivos es preguntarte, ¿de qué color es este pensamiento? ¿Verde o rojo? Si es rojo, aquí tienes una estrategia para transformarlo en pensamiento verde.

No hace falta que tu pensamiento verde sea demasiado optimista, basta con que sea más realista. Por ejemplo, en vez de pensar «no hago nada bien», piensa más bien «hay cosas que me salen mal, pero también tengo muchas fortalezas». Cambiar tus pensamientos de rojos a verdes, de negativos a positivos, requiere que estés al tanto de lo que piensas, y además puede resultar muy útil para ayudarte a cambiar a mejor.

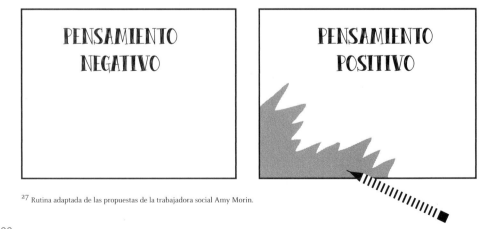

PENSAMIENTO NEGATIVO

PENSAMIENTO POSITIVO

[27] Rutina adaptada de las propuestas de la trabajadora social Amy Morin.

SABÍAS QUE...

Cada emoción deja una huella en el cuerpo.
Sientes algo...
Tu cerebro responde generando química...
Tus células cerebrales se comunican eléctricamente...
Y a partir de entonces ¡te das cuenta de lo que piensas!
Los pensamientos son físicamente reales, y por eso tienen un impacto real en tu mente, tu cuerpo y tu comportamiento.

«GRACIAS, ME HA SALIDO MUY BIEN.»

«GRACIAS, ME GUSTA QUE ME LO DIGAS.»

«GRACIAS, ME ENCANTA OÍR ESTO.»

Acepta un cumplido[28]

La próxima vez que alguien te diga algo amable, no respondas «Oh, pero... (cualquier excusa por la que no puedes aceptar ese cumplido)». Acepta un cumplido sin más, di ¡GRACIAS! y siéntete bien por recibir el reconocimiento o el afecto de otra persona.

[28] Adaptada de Charlotte Reznick.

Dále la vuelta a tu crítico interior

Desde hace unas décadas, se habla mucho de la importancia de la autoestima, esto es, aceptarse y valorarse a uno mismo. Pero no siempre es fácil, porque cuando fallamos llevamos dentro una voz crítica que nos observa y juzga, y eso nos debilita. Así que si la autoestima no es suficiente para darnos fuerzas frente a la adversidad, ¿qué nos puede ayudar a sentirnos mejor con nosotros mismos?

Las investigaciones apuntan en una dirección muy clara. No hace falta que nos digamos que somos fantásticos cuando sabemos que no lo estamos siendo: basta con saber aceptarte tal como eres, incluso con tus fallos. Sobre todo con tus fallos. Los investigadores lo llaman auto-compasión: ser capaz de sentir compasión por uno mismo.

Cuando tienes esa capacidad para la autocompasión, eres capaz de perdonarte tus errores o limitaciones. No te sientes tan humillado o incompetente si olvidas tu texto en una obra de teatro, o si fallas un penalti durante un partido. La autocompasión te recuerda que eres humano y que equivocarse es natural. La autoestima por sí sola, en cambio, no puede hacer eso porque depende de que seas el mejor, y te dice: «menudo perdedor...». Pero esa voz interior crítica puede debilitarte, en vez de darte fuerzas para conseguir tus metas...

LA AUTOCOMPASIÓN TE RECUERDA QUE EQUIVOCARSE ES NATURAL

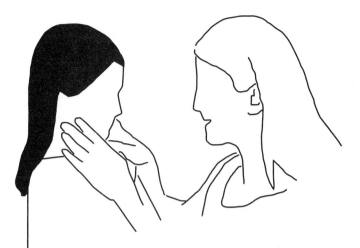

¿Y CÓMO CONSIGO DESARROLLAR UNA SANA Y NECESARIA AUTOCOMPASIÓN?

Es fácil. Basta con hablarte a ti mismo con amabilidad. Esta técnica es una de las que utilizan, por ejemplo, los marines para superar entrenamientos muy duros. Y es que sabemos que cuando te hablas a ti mismo con amabilidad mejoras tu rendimiento cognitivo, tu memoria y tu concentración.

¿Qué te cuesta mucho decirte a ti mismo cosas amables? Pues aquí tienes el secreto de cómo lograrlo...

LA RUTINA: Imagina un lugar tranquilo, donde estás con una persona que te quiere. Ahora, deja que esa persona te hable con amabilidad. Incluso con dulzura. Esto mejorará de forma significativa la tristeza y los sentimientos de inferioridad y de vergüenza que puedas sentir en ese preciso momento y por las causas que sea.

Un ejemplo de cómo podemos aplicar esta técnica podría ser el siguiente: imagina que has fallado con tu dieta y que te has comida tú solo una bolsa de galletas enterita. Tu voz crítica despierta y te ataca: «¡Das pena! ¡Qué débil eres! Nunca lograrás perder esos kilos...». Pero ¿cómo te hablaría, por ejemplo, tu querida abuela? Probablemente sería menos cruel contigo. Quizá diría algo así como «cariño, sé que te has comida esa bolsa de galletas. Seguramente creías que eso te haría sentir mejor, pero ahora mismo te sientes incluso peor, ¿verdad?... Pues yo quiero que te sientas mejor. ¿Vamos a dar un largo paseo para que te relajes y hagas ejercicio?».

Ya lo ves: se trata de enfrentarte a la voz crítica y de reformularla de forma positiva. Como lo haría una persona que te quiere.

Quiérete[29]

Imagina cómo sería tu vida si tú creyeses, de verdad, profundamente, sin dudarlo, que eres alguien valioso. Cierra los ojos e imagínalo. Siente que eres alguien valioso.

LA RUTINA: ¿Cómo te sentirías? ¿Qué cosas habrías hecho de forma diferente en las últimas veinticuatro horas?

· ·

· ·

· ·

· ·

· ·

· ·

· ·

· ·

· ·

[29] de la *coach* y psicóloga Tess Marshall

Desnúdate frente al espejo[30]

La profesora de yoga Andy Jacobs cuenta en su blog Andy Pandy Living que, durante años, despreció su cuerpo. Es algo corriente, que nos pasa a muchos. Tiene que ver con cómo los humanos nos comparamos a los demás; también con la moda (y con su tiranía), que solo parece considerar un cuerpo «perfecto» cuando este es un cuerpo joven, y que es tan contraria a cómo madura y se desgasta a lo largo de la vida.

El resultado es que muchas personas prefieren no verse desnudas: se refugian detrás de la ropa que llevan y evitan mirarse en el espejo.

Cuenta Andy Jacobs que sus clases de yoga son de una modalidad —el *bikram*— que te invita a ir muy poco vestido (hace mucho calor en la clase y los alumnos sudan) y a mirarte con atención en el espejo durante la clase para corregir las posturas. «Estos espejos han cambiado mi vida, y lo que hago frente a ellos ha cambiado mi cuerpo. El reflejo no es lo único que veo: también veo el interior de mí mismo. Miro mis ojos mientras me esfuerzo y sudo, y observo el cuerpo que me fue dado mientras se inclina, se estira y se gira. He visto mi cuerpo transformarse mientras los ojos a través de los cuales lo veo también cambiaban. Mi mente y mi cuerpo se han encontrado allí, en ese espejo, y es allí donde se han puesto de acuerdo en recibir con los brazos abiertos esta vida.»

LA RUTINA: Cada día, durante el tiempo que quieras, desnúdate y mírate en el espejo. No te juzgues. Solo observa. Considera qué milagro es tener un cuerpo: todo lo que has experimentado con él, lo que sabe curar, lo que sabe crear.
Dale las gracias sinceramente.

¡NO TEMAS A TU CUERPO!

[30] http://andypandyliving.blogspot.com.es/.

«DATE PERMISO PARA SER TÚ, EXACTAMENTE TAL COMO ERES AHORA MISMO. DATE CUENTA DE LAS COSAS QUE TE GUSTARÍA CAMBIAR, PERO SIN CONVERTIRLAS EN CONDICIONES PARA QUERERTE A TI MISMO.»

KATE FOSTER

Respira luz

Meditar es una herramienta magnífica para frenar la mente y los pensamientos estresantes. Esta meditación que te propongo es fácil de adaptar al tiempo del que dispongas e incluso a tu humor. ¡Disfrútala!

LA RUTINA: Siéntate confortablemente y mueve las manos como si estuvieses sacudiéndote gotas de agua. Respira hondo. Pon las manos en tu regazo, con las palmas hacia arriba.

1 Respira llenando de aire vientre, diafragma y pecho.

2 Imagina que tienes una luz en el centro de tu cuerpo. Cuando inspiras, imagina que la luz se intensifica, que está más fuerte. Cuando exhalas, la luz se suaviza. Si te apetece, imagina que tu luz tiene incluso un color o una temperatura.

3 Con cada respiración, imagina que esa luz te está llenando el pecho y los hombros. Deja que baje por tus brazos y que llene las palmas de tus manos. Fíjate en cómo la luz y el calor llenan tu cuerpo entero.

¿DE QUÉ COLOR ES HOY LA LUZ QUE TE LLENA?

COLORÉALA.

ANTES DE SALIR DE LA CAMA, DEDICA UNOS SEGUNDOS A RECORDAR QUE ERES VALIOSO. RESPIRA AMOR, EXPIRA AMOR, IMAGINA QUE ESTÁS RODEADO DE LUZ Y EMPÁPATE DE ESA SENSACIÓN.

RUTINAS EXPRÉS PARA ENFRENTARME AL ESTRÉS Y A LA ANSIEDAD

La ansiedad y el estrés son respuestas emocionales naturales ante los peligros que percibimos. ¡Lo malo es que nuestro cerebro programado para sobrevivir a menudo exagera o inventa los posibles peligros!

Los animales no humanos sólo se preocupan cuando están inmersos en algo peligroso o estresante (como una cebra que huye a vida o muerte de una leona, pero que se olvida de la leona en cuanto la pierde de vista). Nosotros, los humanos, con nuestra potente imaginación, nos preocupamos por lo real y también por lo imaginario, por amenazas que podrían no cumplirse nunca, o por cosas pequeñas pero muy corrientes, como una bandeja de entrada sobrecargada de emails, la hora punta de las mañanas o el miedo a olvidarnos las llaves cuando salimos corriendo de casa.

Esta capacidad para preocuparnos nos desgasta inútilmente en cuerpo y mente. Por suerte, podemos vencer o limitar esta clase de estrés cotidiano con estas pequeñas y potentes rutinas que puedes practicar a lo largo del día.

Haz una lista de estrategias antiestrés

Peter Lind, un conocido quiropráctico estadounidense, nos propone aquí una lista de estrategias antiestrés. Te invito a probarlas, hasta encontrar las que te funcionan mejor, y añadir a esa lista las tuyas propias. Busca al menos dos o tres que te ayuden a enfrentarte al estrés y... ¡disfrútalas!

- Llama a un amigo (un amigo optimista)
- Lee un libro (mejor un clásico)
- Date un baño largo y oloroso (o una buena ducha)
- Ve al gimnasio
- Escribe lo que sientes en un diario
- Juega con tus hijos (y deja que te contagien su alegría)
- Regálate un masaje
- Date un paseo de media hora (o vive una miniaventura)
- Compra o corta o planta flores
- Haz una siesta corta (diez minutos recargarán tu batería)
- Dedica un tiempo a tu afición o hobby (un buen hobby es una extensión de ti mismo)
- Mira un video divertido (nada mejor que unas buenas risas para relajarse)
- Haz trabajo voluntario (hay muchas personas y causas que te necesitan)
- Saluda a un vecino
- Ve a una clase de yoga (o a cualquier clase dedicada a la salud cuerpo-mente)
- Medita o reza durante quince minutos
- Mira un episodio de tu serie preferida (¿cuál es?)
- Siéntate en silencio durante diez minutos (y silencia también el ruido de tu mente)
- Ten una conversación de corazón con tu compañer@ o amig@
- Hazte un pequeño regalo (¿cuándo fue la ultima vez?)
- Todas estas estrategias te ayudarán a enfrentarte al estrés de forma divertida.

¡Funcionan!... Pero no puedes hacerlas solo una vez. Para manejar tu estrés, haz de estas estrategias, o de otras que te gusten, un nuevo hábito

AÑADE AQUÍ
TUS PROPIAS ESTRATEGIAS

▶
....

▶
....

▶
....

▶
....

▶
....

▶
....

▶
....

▶
....

▶
....

▶
....

▶
....

▶
....

▶
....

CÓMO EL ESTRÉS PUEDE AFECTAR A TU CUERPO:

▶ **CABEZA:** el humor, la ira, la depresión, la irritabilidad, la falta de energía, cambios en el apetitio, problemas para concentrarte, para dormir, dolor de cabeza, problemas de salud mental como trastornos de ansiedad y ataques de pánico…

▶ **PIEL:** problemas de piel como el acné

▶ **ARTICULACIONES Y MÚSCULOS:** dolores, tensión, menor densidad ósea

▶ **CORAZÓN:** incremento tensión arterial y frecuencia latido, colesterol más alto y mayor probabilidad de ataque al corazón

▶ **ESTÓMAGO:** calambres intestinales, reflujo, naúseas y cambios en el peso corporal

▶ **PANCREAS:** mayor posibilidad de diabetes

▶ **INTESTINOS:** Problemas intestinales como el síndrome del intestino irritable, diarreas y estreñimiento

▶ **SISTEMA REPRODUCTIVO:** menos deseo sexual, menor calidad del semen, más dolor durante la menstruación

▶ **SISTEMA INMUNOLÓGICO:** menor capacidad para luchar y recuperarse de las enfermedades

¡Canta!

Cantar es terapéutico: cuando cantas, las vibraciones musicales te traspasan y alteran tu paisaje físico y emocional. El subidón que da cantar, solo o en grupo, surge de las endorfinas que generas, asociadas con la sensación de placer; de la oxitocina, que alivia la ansiedad y el estrés, y también potencia los sentimientos de confianza y de apego social, además de mejorar los síntomas de la depresión y la soledad.

LA RUTINA: Únete a un coro. O bien elige una canción que te guste... ¡y canta! En el coche, en la ducha, mientras cocinas... Pon la música bien alta y canta por encima de la canción. No te cortes: recuerda que cuanto más ejercites tus agudos y graves, aunque no suenen particularmente bien y desafines, irás mejorando. ¡Canta para relajarte, para sonreír, para sentirte más feliz!

SABÍAS QUE...

El placer que nos da cantar, sobre todo cantar en grupo, podría ser la recompensa evolutiva por haber «salido de la cueva» y aprendido a colaborar con otras personas.

El diario comilón

La ansiedad puede resultar traumática para el cuerpo y hacernos desear comidas que nos son gratas, como los azúcares rápidos y el chocolate, que nos dan un placer casi instantáneo pero muy pasajero y malsano. Hoy vamos a hacer un sencillo «diario comilón», para que seas más consciente de lo que comes a lo largo del día y puedas mejorar esa dieta poco a poco, controlando lo que ingieres.

LA RUTINA: Asegúrate de que le estás dando a tu cuerpo el apoyo que necesita para su equilibrio físico y mental, empezando por un multivitamínico repleto de vitamina B, omega-3 para reducir la ansiedad y buenas cantidades de fruta, verdura y carbohidratos integrales, que contribuyen a generar serotonina, el neurotransmisor que te ayuda a sentirte sereno.

Lleva tu diario comilón en el bolsillo o el bolso, y apunta a lo largo del día lo que vayas comiendo. Tardarás segundos y tendrás un listado útil para revisar al final del día. Al final de la jornada, antes de irte a dormir, revisa tu listado y añade qué cosas podrías evitar y qué reforzar para alimentarte bien.

MI MENÚ HOY...
(Piensa cómo podrías mejorar este menú.)

_____

_____

_____

MI MENÚ MAÑANA...
(Especifica qué quisieras comer mañana, en qué cantidades y a qué horas.)

_____

_____

_____

R63

APUNTA LO QUE VAS COMIENDO:

_ _ . _ _ h:

_ _ . _ _ h:

12 . 15 h:

_ _ . _ _ h:

_ _ . _ _ h:

_ _ . _ _ h:

_ _ . _ _ h:

_ _ . _ _ h:

La meditación danzante

Bailar es una forma de expresión y de gestión emocional, sobre todo cuando improvisas el baile en base a tus emociones. El ritmo de la música induce a un estado anímico particular, y eso influye en el latido cardiaco y en la forma de respirar, que a su vez afectan el estado psicológico. Bailar también tiene un impacto en el cerebro, porque calma la parte más reflexiva (la izquierda) e invita en cambio al hemisferio derecho a ser más dominante, dado que cuando bailas te estás dejando llevar por la intuición y la emoción. Bailar en grupo puede ser útil para trascender los egos individuales, porque te pierdes en una actividad y emoción compartida: cuando bailamos con otra persona, tendemos a ajustarnos a un solo ritmo común.

LA RUTINA: Elige música de cualquier estilo, jazz, rock, pop, clásico, músicas del mundo..., en función de cómo te sientas. Y, solo o acompañado, déjate ir, siente tu cuerpo y ¡baila!

SABÍAS QUE...

No solo activamos el hemisferio derecho del cerebro (el más intuitivo y emocional) cuando bailamos. Hay otras actividades, como correr o meditar o montar a caballo, que consiguen un efecto parecido porque establecen ritmos repetitivos que calman la mente.

La meditación de la mano[31]

¿Necesitas calmar tu mente pero no tienes paciencia ahora mismo para quedarte quieto mientras meditas? Eso les pasa a muchas personas... ¡Es tan difícil resistir la tentación de rascarse o moverse cuando estamos meditando! Y es que la necesidad de rascarse activa áreas del cerebro que tienen que ver con el control del dolor y el comportamiento compulsivo, ¡cualquiera se resiste!

¿Qué podemos hacer para meditar sin perder la paciencia? Prueba en cualquier lugar con esta minimeditación a cámara lenta para tranquilizar tu mente.

LA RUTINA:

1 En el tren, en el avión, en un parque, busca un rincón donde no te interrumpan... Siéntate con las manos en el regazo, respira hondo y centra la atención en tus manos. Siente como el aire toca las palmas de tus manos y tus dedos. Siente la silueta de tus manos y el espacio entre los dedos. Relaja hombros, brazos y manos.

2 Ahora levanta las manos ligeramente, apenas nada. Repite ese suave movimiento. Siente cada pequeño desplazamiento de tus manos. Empéñate en moverlas muy despacio, imagina las moléculas del aire resbalando entre tus dedos... Intenta moverlas tan despacio que parezca que se estén moviendo solas.

3 Cuando te sientas cómodo, enfrenta las palmas de tus manos. Imagina un campo de energía entre tus manos, o los dos polos opuestos de algo magnético. Durante unos minutos, sin prisa, deja que tus manos se muevan a su antojo, y simplemente obsérvalas.

4 Cuando te apetezca, reposa las manos de nuevo en tu regazo y sigue en silencio unos minutos más.

[31] Extraído del http://www.yogajournal.com/article/meditation/slow-hands/.

La mirada contemplativa

¿Necesitas cambiar tu foco de atención y activar tu capacidad de concentración? La meditación Trataka, que significa «mirar» o «contemplar» fijamente un objeto, es una auténtica gimnasia, para tranquilizar la mente. ¡Pruébala!

LA RUTINA: Si estás al aire libre, elige un objeto natural, como una piedra, un árbol o la luna (pero ¡no mires directamente al sol en ningún caso!). Si estás en interiores, puedes encender una vela o mirar una imagen sencilla, como un punto negro. Céntrate en ese objeto unos veinte segundos, y luego cierra los ojos y sigue imaginando la imagen en tu mente. Alterna durante un rato imaginando, y otro rato mirando fijamente. Así entrenas tu capacidad para concentrarte y prestar atención. Repite cada día la meditación Trataka hasta que, poco a poco, puedas hacerla varios minutos seguidos.

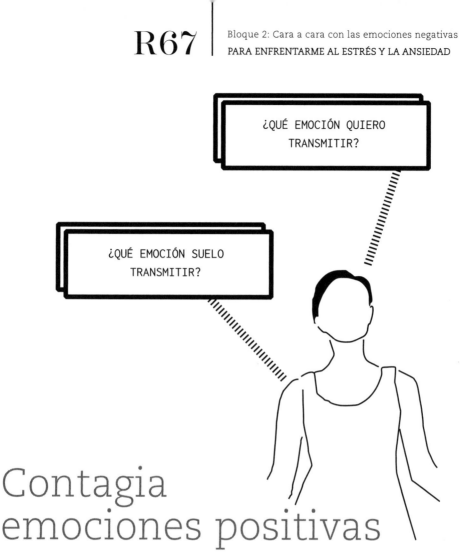

Contagia emociones positivas

¿Sientes miedo, timidez, inseguridad? Pues eso es lo que vas a transmitir a los demás. Y tu interlocutor, como todos los humanos, querrá apartarse de las emociones negativas que contagias, porque resultan deprimentes. Recuerda que las emociones se contagian físicamente, como un virus. Así que comprueba qué energía estás comunicando, ponle nombre y sé consciente de ella. Es el primer paso para empezar a cambiarla.

LA RUTINA: Si no estás seguro, pregunta a una persona de confianza qué emoción sueles transmitir. Y poco a poco, empieza a elegir emociones más constructivas para ti y para los demás. Cuidado sobre todo con la ira, piensa en cómo la comunicas, porque cuando percibimos la ira de otro persona nos asustamos y nos ponemos a la defensiva, y la reacción instintiva del cerebro de tu interlocutor es protegerse, dejar de escuchar. Esto impide la comunicación.

Crea una isla de silencio

Algunos estudios indican que la exposición crónica a niveles de sonido entre los 50 y 55 decibelios —que es el nivel de una conversación que mantienen dos personas cerca de ti, o bien el ruido de fondo del tráfico local— puede afectar negativamente a tu tensión arterial, latido cardiaco y generar más hormonas del estrés de las necesarias. De hecho, ese es el nivel de ruido habitual en muchas zonas de las grandes ciudades, y con él convivimos casi sin darnos cuenta, permitiendo que nos genere una sensación de estrés que poco a poco nos cala como una lluvia fina. ¡El ruido es una de las forma de polución más insidiosas que nos rodea!

LA RUTINA: ¿Qué ruidos te rodean? ¿Cuándo disfrutas del silencio? Con la rutina de hoy, aprenderás a regalarte pequeñas islas de silencio. Planifica tu isla de silencio, o bien improvísala a lo largo del día en medio de tus actividades y del ajetreo diario. Durante el tiempo que quieras dedicarte a tu isla de silencio, aunque sean solo cinco minutos, apaga el teléfono y no hables con nadie. Escucha y disfruta del silencio.

PLANIFICA, DIBUJA O DESCRIBE
TU ISLA DE SILENCIO DE HOY.

R69

El cuarto de segundo mágico[32]

¿Qué hace un hijo, pareja, familiar o compañero laboral que te hace reaccionar siempre de la misma manera negativa?

• •

Cuando repites una respuesta emocional negativa, la estás asentando dentro de ti, y cada vez te costará más cambiar tu respuesta. Te vas volviendo prisionero «químico» de tu vieja respuesta: ira, ansiedad, tristeza, resignación...

¡Rompe con ese patrón emocional! «Si logramos hacer una pausa y fijarnos en lo que nos pasa por dentro, podemos romper los patrones de reactividad emocional», asegura la psicóloga Tara Brach.

Tienes un cuarto de segundo mágico en el que puedes hacerlo. ¿Por qué? El investigador Benjamin Libet descubrió hace décadas que la parte del cerebro responsable de hacer un movimiento se activa un cuarto de segundo antes de que seamos conscientes de que tenemos intención de hacer esa acción. Después, hay otro cuarto de segundo antes de que te pongas en acción. ¿Qué significa eso? Que antes de decidir algo de forma consciente, ¡tu cerebro ya se ha puesto en marcha! Pero, sobre todo, significa que tienes una brevísima oportunidad de parar tu cerebro. Es lo que los psicólogos llaman «el cuarto de segundo mágico».

LA RUTINA: Imagina que estás obsesionado por un cigarrillo. Entre el impulso de fumar («necesito un cigarrillo») y la acción de fumar (agarrar el paquete y encender un cigarrillo), tienes ese cuarto de segundo mágico en el que sigues siendo dueño de tu acción... ¡Aprovéchalo! Si logras centrarte en ese breve momento de transición entre desear y hacer, podrás aprender a cambiar tus respuestas automáticas.

Por ejemplo, si tu hijo te dice: «¿Quieres jugar conmigo?», en vez de contestar automáticamente, «No puedo, estoy muy ocupado», detente y piensa si podrías dedicar un tiempo a jugar con él o ella. Si acabas de escribir un correo electrónico muy negativo, detente y piensa si realmente quieres enviarlo.

¡Detente y evita las reacciones emocionales automáticas!

---

[32] Extraído de http://tinyurl.com/ba29nmw.

Una relajación física para dormir[33]

La relajación física incrementa los mecanismos de defensa contra el estrés y aumenta algunas sustancias del cerebro que actúan como antidepresivos naturales. Puedes ponerla en práctica en cualquier momento, pero si tienes problemas para dormir, ¡prueba sin falta esta sencilla y agradable técnica de relajación cuando apagues la luz!

LA RUTINA: Elige un lugar donde te sientas a gusto y donde nadie te vaya a interrumpir. Estírate. Respira profundamente cuatro o cinco veces. Comienza a relajar conscientemente la planta de los pies. Imagina que una corriente relajante y tibia pasa por tus dedos y sube por el empeine. Lleva la corriente hacia la planta y los talones, hasta que invada los pies. Tus pies están ya relajados, tibios y pesados...

Luego haz lo mismo con los tobillos. Sigue subiendo por el cuerpo, relajando cada parte del cuerpo, sintiendo como se pone tibia y pesada.

Trabaja con atención la zona del cuello. Sigue con la mandíbula, que debe quedar colgando, y pasa tu corriente tibia por toda la cara. Siente como los párpados pesan. Afloja especialmente la garganta.

Centra en todo momento la atención en la parte del cuerpo que estés relajando. Si aparecen pensamientos que te distraen, déjalos pasar sin prestarles atención. Si lo necesitas, céntrate durante unos segundos en tu respiración y luego sigue relajando el cuerpo.

---

33 Adaptado del libro *Plántale cara al estrés y acaba con él*, de Horacio Verini y María Cristina Echegoyen (Espejo de Tinta, 2007).

RUTINAS EXPRÉS PARA PROTEGERME DE LAS EMOCIONES Y LOS ENTORNOS TÓXICOS

A veces, nuestras emociones, amistades, relaciones laborales, familiares o los ambientes donde vivimos y trabajamos resultan tóxicos: nos hacen daño. No importa que sea algo deliberado o de lo que no nos damos cuenta: las personas, ambientes y emociones o pensamientos tóxicos nos agreden, generando problemas, enfrentamientos y mucho estrés dañino, que incluso en pocos días afecta las áreas del cerebro con las que recordamos y resolvemos nuestros problemas. ¿Qué podemos hacer? En esta sección veremos rutinas que nos ayudan a poner límites, a no debilitarnos, a superar situaciones difíciles, a ser conscientes de las emociones que sentimos, a no dejar que los demás nos roben alegría, a centrarnos en los remedios más que en los agravios, y a aprender a protegernos de aquello que nos daña.

Respira hondo y elige tu primera rutina para el día de hoy: empezamos.

Bloque 2: Cara a cara con las emociones negativas
PARA PROTEGERME DE LAS EMOCIONES...

R71

Pon límites[34]

Todos tenemos un espacio personal, psicológico y emocional, donde nadie debería entrar sin nuestro permiso. Son nuestros límites, una especie de frontera individual que nos protege y da seguridad. Sin embargo, a veces sentimos que este espacio íntimo es invadido por los demás, y eso nos indigna, ofende o humilla. ¿Por qué ocurre esto?

En general, no estamos acostumbrados a explicar de forma abierta y transparente a los demás cuáles son nuestros límites. Esto puede generar una cierta confusión o falta de claridad para la otra persona, que invade nuestros límites sin darse cuenta, y que se encuentra con alguien nervioso o reactivo al otro lado, sin saber bien por qué. Con esta importantísima estrategia del doctor Horacio Verini, podemos aprender a hacer visibles, tácitos y explícitos nuestros límites a los demás —familiares, pareja, amigos, relaciones laborales—. Cuanto más te importa una relación, más importante es que puedas explicitar tus límites, para proteger esta relación y no dañarla.

Esta estrategia te permitirá tener claro quienes respetan tus límites —tu frontera íntima— y quienes no. Las personas que traspasan continuamente nuestros límites, aunque se los hayamos intentando explicitar, se convierten en estresores, en relaciones tóxicas con las que no podemos estar bien.

LA RUTINA: Para conocer bien tus propias fronteras —tus límites— te propongo un ejercicio profundo y revelador para ti mismo: revisa tus límites, revisítalos, comprueba cuáles tienen sentido y cuáles son solamente patrones reactivos infantiles que no te sirven ya para nada, pero que sin embargo te hacen sentir atacado y molesto.

Esta revisión permite que tus límites pierdan rigidez y dureza, entorpeciendo las relaciones, y que sea en cambio una protección elástica y flexible para ti, que te proteja pero no te limite.

---

[34] Una rutina del doctor Horacio Verini.

Un ejemplo: trabaja de forma concreta sobre un problema específico que tengas con alguien o algo. Por ejemplo, imagina que alguien tiene un problema con su madre. Le ha pedido ayuda con algo, pero ahora se siente invadido por la presencia de la madre y no sabe bien cómo explicarlo o dónde están sus límites. Esta persona podría plantearse qué cosas quisiera que hiciese su madre y qué cosas preferiría hacer por sí misma. Debemos ser específicos. «Quisiera ayuda con los niños, pero no quiero que entre en mi habitación y abra mis armarios.» Cuando la madre lo comprenda, puede decidir si quiere y puede respetar los límites que le explican.

Reflexiona sobre tus límites con tiempo, apuntando y descartando, explicitando, definiendo, hasta que te sientas cómodo con ellos.

Cuando explico mis límites al otro, le estoy invitando a que él explique los suyos, y así genero una negociación donde podemos llegar a acuerdos concretos.

EN LA ARENA, EN LA TIERRA, EN UNA ALFOMBRA... DIBUJA TUS LÍMITES Y SIÉNTATE DENTRO.

DIBUJA TAMBIÉN
UN OCHO, E INVITA SI
QUIERES A ALGUIEN
A ENTRAR EN SU PARTE
DEL OCHO.

Bloque 2: Cara a cara con las emociones negativas
PARA PROTEGERME DE LAS EMOCIONES ...

R72

Haz un inventario de personas tóxicas[35]

¿Qué clase de emociones te rodean? ¡Las emociones se contagian como un virus, y pueden ser muy tóxicas! Así que, a lo largo de unos días, haz un inventario de aquellas personas o entornos que te resultan tóxicos, es decir, que te hacen sentir bajo de energía, triste, enfadado, furioso...

LA RUTINA: Cuando alguien te haga sentir incómodo, o te resulte extrañamente agresivo, no lo dudes, ¡ALÉJATE! Busca cualquier excusa —ir al baño, o una llamada, algo que necesites hacer urgentemente— para alejarte de una persona tóxica, si tu intuición, que se expresa a través de sensaciones no siempre fáciles de describir, te avisa. Si no puedes alejarte del todo, al menos deja un espacio físico lo más grande posible entre tú y esa persona que te hace sentir mal. Piensa en esa persona o situación como si fuese el humo de un cigarrillo que no quieres respirar.

....

....

....

....

....

....

....

....

---

[35] Extraído de *The Ecstasy of Surrender: 12 Surprising Ways Letting Go Can Empower Your Life*, de la psiquiatra Judith Orloff.

R73-74

Bloque 2: Cara a cara con las emociones negativas
PARA PROTEGERME DE LAS EMOCIONES ...

¿Es esto mío?[36]

A menudo con muy buena intención, podemos cargar con problemas o emociones que no tienen nada que ver con nosotros, y que por tanto no podemos resolver por la otra persona.

Cuando tengas más claros tus límites, como explicamos en la rutina 71, te resultará mucho más fácil mantenerte en tu sitio y no meterte en problemas o lugares que no son los tuyos.

LA RUTINA: Frente a un conflicto, pregúntate: ¿Es esto mío? ¿O es un conflicto ajeno en el que me he visto envuelto involuntariamente? El límite ejerce una función protectora que me permite relajarme, sabiendo que lo que ocurre no es de mi dominio, y por tanto no debería afectarme (más allá de sentir una lógica compasión o simpatía por la otra persona).

Si en cambio el conflicto o problema sí estuviese dentro de mis límites, podría buscar estrategias concretas para resolverlo, o al menos mitigarlo.

Saber si un problema es nuestro o no lo es da una gran paz porque nos permite aceptar que no lo podemos resolver, y nos evita la frustración consiguiente.

Ponte una armadura

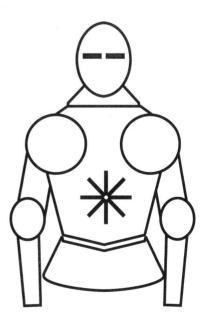

¡El poder de la mente es muy fuerte! Si estás con personas negativas y no puedes alejarte, usa esta estrategia: imagina que te pones una armadura de luz blanca, una luz positiva en la que todos los pensamientos y emociones negativas que te rodean rebotan. Si logras concentrarte en ello, seguro que conseguirás sentirte un poquito mejor.

---

[36] Rutina del doctor Horacio Verini.

Antídotos para los pensamientos negativos[37]

Los ANTS (antídotos a los pensamientos negativos, u «hormigas», como los llama el psiquiatra Daniel Amen) son esos pensamientos negativos que nos gobiernan a diario sin que seamos conscientes de ellos. Cuando piensas de forma negativa, pasa algo grave: estás renunciando a tu poder para cambiar las cosas. Y eso no solo te hace sentir mal, sino que te condena a ser ineficaz.

Hay muchos tipos de pensamientos negativos. Aquí tienes algunos de los más corrientes. ¿Reconoces alguno de tus pensamientos negativos en estos tipos? ¿Te suena familiar alguno? Rodéalo o subráyalo en la primera columna de la página siguiente y, a continuación, ¡busca en la última columna los antídotos a los pensamientos negativos o incluso inventa uno específico para ti!

Una sugerencia: no apuntes más de un pensamiento negativo al día. Así, ese día ¡podrás estar muy pendiente de aplicarle el antídoto correspondiente!

[37] Rutina adaptada del psiquiatra y neurólogo Daniel G. Amen, M.D.

Pensamientos negativos automáticos	Tipos de pensamientos negativos automáticos (ANTS)	Antídotos para tus pensamientos negativos automáticos...
«Nunca me escuchas» «Siempre llega tarde» «Todo me sale mal» «Todos se ríen de mí»	**CERRAR LA PUERTA AL CAMBIO.** Pensamientos que empiezan por palabras que no dejan esperanza, como: «Nunca/siempre/todos…».	Por ejemplo: «Me fastidia cuando no me prestas atención…, pero sé que a veces me escuchas y que lo sabes hacer».
«El jefe me tiene manía» «Nunca me van a subir el sueldo» «No tiene ganas de verme»	**LEER LA MENTE** (creer que sabes lo que la otra persona piensa).	No puedo saberlo seguro. Tal vez es porque tiene un mal día. Los jefes también son humanos.
«No les gustará mi trabajo»	**ADIVINAR** (esperar lo peor de una situación).	No puedo saberlo. Tal vez les guste mi explicación.
«Soy estúpido» «Es mala gente»	**ETIQUETAR** (ponerte, o poner a otro, una etiqueta negativa).	A veces hago cosas un poco tontas, pero otras veces lo hago bien.
«Nuestros problemas son por tu culpa»	**CULPAR** (echar toda la culpa de un problema al otro).	Me tengo que centrar en cómo puedo mejorar mi parte.

Un tiempo para preocuparse

Frente al miedo al cambio, establece un «tiempo para preocuparse». Preocuparse obstaculiza la productividad, el estado de ánimo y la confianza, así que no dejes que se cuele por cada rendija de tu jornada laboral, nos dice el psicólogo Tamar E. Chansky. Si estás preocupado por los cambios, establece un rato cada día para concentrarte en esos miedos, preferiblemente antes o después de la jornada de trabajo. Pero utiliza también ese tiempo para superar esos temores.

LA RUTINA: Cuando algo te pese o creas que va a suceder algo terrible casi seguro, prométete que solo te dedicarás a esa preocupación entre cinco y veinte minutos, ni uno más. Piensa en todas las consecuencias posibles de esa situación hipotética, traza algunas estrategias y después deja de pensar en ello cuando hayan pasado veinte minutos. Para evitar la tentación de continuar pensando más allá de ese límite temporal asignado, llama inmediatamente a algún amigo o ten prevista alguna actividad recreativa justo después.

Enfrentarse a la tristeza

Martha Beck es una prestigiosa *coach* y escritora. En su libro *Encuentre su propia estrella polar*, explica cómo se enfrentó al nacimiento de su hijo Adam:

«Recuerdo estar terriblemente confundida después de que a mi hijo le diagnosticaran síndrome de Down. Sentía mucho dolor, pero no estaba segura de que sentir eso fuera lo correcto. Finalmente, decidí tener el niño en lugar de abortar y sentí que esta decisión me impedía sentir pena. Mi yo social era muy claro al respecto: "Has tomado una decisión y ahora debes seguir adelante", me decía a mí misma... Antes de poder sentir pena libremente, tuve que rebuscar entre mis emociones para darle nombre a lo que había perdido: el sueño del bebé perfecto, el futuro que había imaginado para él, mi propio estatus *normal* de madre con hijos que cumplían ciertos requisitos. Cada vez que era capaz de identificar otra pérdida, especialmente si estaba relacionada con las personas que me importaban, el dolor me inundaba. Durante unos meses, los que siempre dura la pena, el dolor empezó a desaparecer y me permitió disfrutar de mi maravilloso hijo».

Las personas que no honran sus pérdidas no son capaces de sentir dolor. Es posible que pierdan toda la alegría de vivir, pero no atraviesan el luto, y esto significa que no sanan. No pueden caminar hacia la felicidad, porque en el camino hacia ella necesitan atravesar el dolor, y no serán capaces de hacerlo.

LA RUTINA:

¿Hay alguna tristeza reprimida en tu vida a la que tú, o las personas con las que vives, no habéis dado espacio para expresar y sanar? ¿Qué es?

....

....

Date permiso para hacer el duelo de esta tristeza, por muy inapropiado o absurdo que te pueda parecer. Procesar el dolor sincero es necesario para la salud emocional de las personas.

Bloque 2: Cara a cara con las emociones negativas
PARA PROTEGERME DE LAS EMOCIONES ...

R78

Mantener el tipo en una conversación difícil

Todos nos hemos enfrentado a algún encuentro tenso, conversaciones que acaban en gritos, recriminaciones o lloros. ¿Cómo podemos gestionar estas situaciones difíciles? El psicólogo Albert Bernstein lleva décadas estudiando qué estrategias son más útiles para calmar a las personas en esas situaciones difíciles, de secuestro emocional. Y aconseja que hagamos lo siguiente:

LA RUTINA:

❶ Mantén la calma: sigue en «modo conversación».

Ya sabes que dicen eso de «dos no se pelean si uno no quiere». Y es que los humanos nos contagiamos las emociones. Si te contagias de la ira o la desesperación de la otra persona, lo único que estás haciendo es agrandar esa emoción hasta que se vuelve incontrolable. Piensa en ello como un videojuego: ¿Quieres estar en modo batalla, destruyendo edificios y quemando la ciudad, o prefieres seguir en modo conversación, buscando un acuerdo? Para seguir en «modo conversación», mantente lo más tranquilo posible. Así podrás pensar, en vez de reaccionar emocionalmente.

❷ Trata a la persona descontrolada como si fuese un niño.

Ignora el drama y la histeria. Si tuvieras a un niño desbocado delante de ti no intentarías ser racional, porque el cerebro del niño está en pleno secuestro emocional. Tampoco te enfadarías: esperarías a que bajara el suflé emocional. Esto funciona igual con un adulto... Trata a la persona como si fuese un niño grande. El doctor Bernstein dice que si en ese momento te sientes como un maestro de educación infantil probablemente lo estés haciendo bien.

❸ Ralentizar la conversación: «Por favor habla más despacio».

Esta es una estrategia que utilizan muchos profesionales que se enfrentan a situaciones de tensión. ¿Qué debes evitar hacer? No digas eso de «¡Deja de gritar!», aunque sea lo primero que te salga. Las personas enfadadas no quieren que les digan lo que tienen que hacer. Utiliza estas palabras: «Por favor, habla más despacio. Quiero ayudar».

Esto funciona porque rompe el bucle en el que está metido la persona descontrolada. Ella cree que te quieres resistir a sus deseos, pero no: muestras interés y ganas de escuchar... Y en cuanto empiece a calmarse, ya podrá salir de su secuestro emocional y empezar a ser más racional.

Así que ahora, el otro ha dejado de gritar. Sigue enfadado, pero al menos podéis empezar a comunicaros más racionalmente. ¿Siguiente paso?

❹ Habla con su cerebro racional y hazle preguntas:

Pregunta: «¿Qué quieres que haga?». Tendrá que pensar en una respuesta lógica. Eso seguirá calmando su cerebro. No te justifiques ni intentes explicar nada. Solo haz preguntas para que la persona pueda expresar lo que siente. Y si te dice «Soy Jesús, y me están intentando crucificar...» no repliques: «No eres Jesús». Di: «Debes de sentir mucho miedo». Y la persona contestará «sí» y se irá calmando, porque la estás escuchando, no la estás retando.

Si has logrado llegar hasta aquí y salvar la situación, ¡enhorabuena! Recuerda que debes dejar que la persona alterada tenga la última palabra de vuestra conversación. Todavía está sensible y lo necesita.

Por qué creemos que ser desagradables nos hace más inteligentes...

Hoy vas a descubrir una extraña tendencia de la mente. Teresa Amabile, directora de investigaciones de la Harvard Business School, empezó a investigar, allá por los años ochenta, por qué, cuando oímos frases negativas y críticas, tendemos a creer que son más fiables que las frases positivas. Su veredicto es claro: creemos que las personas que emiten juicios negativos son más inteligentes que las personas que hablan en tono positivo. No solo un poco más inteligentes: mucho más inteligentes. Instintivamente, las personas más ácidas nos parecen más competentes.

Claro que a esas personas las percibimos también como menos cálidas, más crueles y menos amables. Es decir, no queremos que sean nuestros amigos. Pero ¿por qué las consideramos más inteligentes?

La tendencia a creer que lo negativo es más inteligente es uno de los sesgos característicos de nuestra capacidad intelectual humana. Y cuando queremos impresionar a alguien con nuestra inteligencia, tendemos a emitir opiniones ácidas y negativas.

Las razones podrían ser evolutivas, esto es, muy antiguas, ya que en los entornos más peligrosos centrarnos en las noticias y las interpretaciones más negativas pudo ayudarnos a sobrevivir. Desconfiar puede seguir siendo una opción segura si buscas solo la supervivencia, porque te arriesgas menos.

Es importante que seamos conscientes de este sesgo humano que nos hace confiar en los más críticos, porque en realidad sus opiniones pueden tener muy poco que ver con la inteligencia. Pero estas personas pueden debilitar nuestra capacidad para ser valientes y hacer y pensar cosas nuevas y diferentes.

¿Cómo distinguimos cuando una persona está siendo destructiva o cuando realmente su crítica nos puede resultar útil?

LA RUTINA ANTE UN DISCURSO NEGATIVO:

1 Fíjate en el fondo del discurso, no solo en la forma. A veces, las personas críticas tienen un mensaje de valor, pero lo expresan con muy poco tacto. Intenta escuchar el mensaje que hay debajo de las palabras antes de decidir si tiene, o no, valor. ¿Cuál es el mensaje? ¿Qué te aporta? Pasa del cómo lo dicen y céntrate en lo que están diciendo. ¿Son conceptos útiles, o son palabras negativas que disparan a todo lo que se mueve?

2 Evalúa objetivamente a la persona que habla. ¿Es un modelo que quieres seguir? ¿Vive el tipo de vida que tú quieres? ¿Tiene éxito en aquello en lo que tú quieres tener éxito? ¿Tiene los conocimientos necesarios para hablar de lo que estáis hablando? Por ejemplo, si estás pensando en hacer deporte y lo critica una persona que claramente no está nada en forma ni hace nada por estarlo, ¿qué peso real pueden tener sus palabras para ti?

3 Fíjate también en si esta persona suele mantener discursos negativos en contextos diversos. ¿Lo que dice tiende casi siempre al desánimo y a la negatividad? Ojo, porque si es así dice mucho acerca de sus creencias y valores, pero puede no ser nada fiable.

Si después de hacerte estas preguntas llegas a la conclusión de que estás ante una persona que tiende a ser negativa de entrada, aléjate, física o mentalmente, de esa persona.

Bloque 2: Cara a cara con las emociones negativas
PARA PROTEGERME DE LAS EMOCIONES ...

R80

La importancia de nuestros gestos

Nuestros gestos tienen un impacto fuerte sobre nuestras emociones. Este gesto te ayudará a serenarte cuando estés tenso por tener que renunciar a algo por lo que has batallado.

LA RUTINA: Encoje y levanta los hombros, respira hondo, suéltalos y di en voz alta: «¡Qué le vamos a hacer!». Les estás dando de forma consciente a tu cuerpo y a tu mente la orden de cambiar de tercio, de cambiar de ruta.

«LA MEJOR ARMA
CONTRA EL ESTRÉS
ES NUESTRA HABILIDAD
PARA ELEGIR
UN PENSAMIENTO EN
LUGAR DE OTRO.»

WILLIAM JAMES

RUTINAS EXPRÉS PARA PERDER LA VERGÜENZA

A todos nos preocupa lo que piensan los demás, y nos disgusta hacer el ridículo o ser rechazados. ¡Es normal! Por supervivencia, estamos programados para ser muy sensibles a las señales de rechazo de los demás. De hecho, los estudios muestran que hasta el 40 por ciento de las personas dicen que son tímidas, sobre todo cuando son jóvenes.

Si quieres limitar esos sentimientos de timidez, lograr sentirte menos inseguro, incómodo e inhibido, dejar de temer cada encuentro con desconocidos, disfrutar de ir al encuentro de los demás... ¡puedes hacerlo! ¡Puedes mejorar tu timidez! Para ello, entrena tu mente hasta tener éxito con pequeños retos sociales, y, así, poco a poco irás ganando confianza.

Sé amable cada día[38]

A menudo, la timidez se confunde con la falta de interés por los demás. Para compensar esta falsa apariencia, sé amable cada día, de forma deliberada. ¡Empieza hoy! Te sorprenderá la reacción de las personas que te rodean.

[38] Adaptado de Charlotte Reznick, psicóloga y catedrática en UCLA.

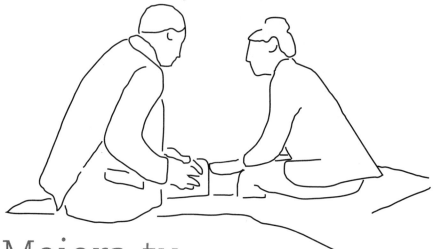

Mejora tu comunicación no verbal

La teoría de los seis grados de separación del sociólogo Duncan Watts asegura que cualquiera en la Tierra puede estar conectado con otra persona en no más de seis saltos, a través de solo cinco intermediarios. ¿Te lo puedes imaginar? ¡El mundo es un pañuelo! Lo cierto es que gracias a internet y a los viajes vivimos más conectados que nunca. Pero para lograr aprovechar las oportunidades que nos ofrece esta gran red social necesitamos estar cómodos con la forma de entablar conversación y de comunicarnos con los demás. Una parte muy importante de la comunicación entre personas es no verbal, está en el tono de tu voz y en el lenguaje de tu cuerpo y de tus miradas.

LA RUTINA:

Algunas sugerencias básicas para mejorar tu comunicación no verbal: habla en un tono relajado y claro, no uses un tono atropellado o monocorde o tan bajo que cueste escucharte, eso resulta estresante; mira al otro a los ojos con amabilidad y asegúrate de que tu posición corporal es respetuosa: no invadas el espacio de tu interlocutor, y no cruces tus brazos como si estuvieses a la defensiva...

«LOS MUROS QUE
CONSTRUIMOS A
NUESTRO ALREDEDOR
PARA MANTENER FUERA
EL DOLOR TAMBIÉN
MANTIENEN FUERA
LA ALEGRÍA.»

JIM ROHN

No domines la conversación

Sabemos que eso es una de las claves más importantes para conectar con los demás. ¿Que cómo lo consigues? ¡Aquí tienes!

LA RUTINA:

Invita a tu interlocutor a contarte lo que a él le gusta... Escúchale atentamente y repite alguna parte de lo que esa persona dice, para mostrar interés e incluso poder enriquecerle con tus aportaciones.

No hagas demasiadas preguntas, porque la conversación parecerá un interrogatorio.

No domines la conversación: Vale, acabas de descubrir el mundo de las bacterias, o bien te has comprado el coche de tu vida. Puede ser entretenido para otra persona durante un rato, pero fíjate en si empieza a dar señales de aburrimiento. La conversación tiene que interesar a todos los que están involucrados, no sólo a una persona.

Si tienes dudas, haz una pausa y espera a ver si el otro cambia de tema. Si lo hace, ¡estabas dominando la conversación!

¡Practica un guión!

Si te cuesta y te asusta de antemano la idea de no saber qué decir, actúa como un actor: aprende pequeñas frases típicas que te ayuden a hablar con desconocidos.

LA RUTINA: Practica sentirte cómodo diciendo «Estoy encantado de conocerle». ¿Ves que fácil? Una vez que hayas logrado traspasar esa barrera de timidez de los primeros momentos, te costará menos seguir la conversación.

Practica delante de un espejo hasta que te salga bien.

¿Y TÚ?

Interésate por los demás

Otra trampa clásica en la que suelen caer los más tímidos es dejar que les hagan una y otra pregunta, y hablar y hablar para contestar y, al final, se sienten fatal, porque parece que solo les ha interesado hablar de ellos...

LA RUTINA: Recuerda preguntar a la otra persona, «¿y tú?, ¿cómo lo ves?, ¿qué crees?».

Evita los monosílabos

Evita los monosílabos, no ayudan a tener buenas conversaciones. Y si te preguntan «¿cómo estás?», di algo más que «bien». Seguro que tienes algo interesante en tu vida, o algo que quieres hacer, de lo que podrías hablar. Y si no lo tienes, manos a la obra y ponte ya metas concretas que enriquezcan tu realidad.

Camina recto

Nuestras posturas corporales no solo revelan a los demás cómo nos sentimos: además, nos contagian a nosotros mismos emociones positivas o negativas. ¿Has probado la rutina 51, donde veíamos posturas poderosas que te hacen sentir mejor? No solo esas posturas más descaradas tienen un efecto positivo en tu vida. ¡También las posturas más sutiles funcionan! Hoy vamos a practicar caminar rectos, erguidos: el psicólogo Joe Riskind mostró que caminar recto, en vez de con los hombros caídos, mejora de forma inmediata la sensación de autocontrol y confianza en uno mismo, e incluso nos puede hacer mejores a la hora de solucionar problemas.

LA RUTINA: Hoy esfuérzate por caminar recto, con la espalda erguida, como si llevases unos libros sobre la cabeza o como si tuvieras unos hilos invisibles que tiran de tu nuca hacia el cielo.
Por la noche, piensa en cómo te ha afectado esta forma de caminar especialmente erguida.

¿Te atreves a llamar la atención?

Una de las cosas que más preocupa a las personas tímidas es llamar la atención. ¡Pues hoy vamos a enfrentarnos a este miedo! Esta rutina te va a ayudar a superar el miedo a ser diferente, a que los demás se fijen en ti.

LA RUTINA: Durante unos días, lleva calcetines de colores desparejados, o, si te sientes con fuerza para ello, ponte incluso durante un rato algo de vestir que sea un poco extraño, un sombrero, unos zapatos divertidos, guantes de colores... algo que llame un poco la atención. Al final del día piensa: «¿Cuánta gente se ha fijado en lo que llevaba?». Verás que son muchos menos de los que temías. Pregúntate entonces: «¿Cómo me he sentido? ¿Qué he aprendido de esta experiencia?».

¿QUÉ VOY A PONERME PARA LLAMAR LA ATENCIÓN?

....

....

¿CÓMO ME HE SENTIDO?

....

Pide la hora

Esta estrategia es muy potente para enfrentarte directamente al miedo a hablar con extraños. Al principio, te hará sentir muy incómodo. Te invito a que seas valiente y no pongas excusas para retrasar este ejercicio.

LA RUTINA: Elige un centro comercial que te guste y ve a una hora del día en la que haya mucha gente. Quítate el reloj y pregunta la hora a veinte personas. Deja pasar unos tres minutos entre cada persona a la que preguntes la hora y apunta el tipo de respuestas que recibes. Por estadística, probablemente te pasará esto:

▶ La mayor parte de las personas te darán la hora sin darle mayor importancia.
▶ Un pequeño porcentaje de personas te va a ignorar. Piensa que muchas de esas personas también tienen problemas de timidez. Otras son simplemente desagradables, aunque son una minoría. Te pondrán nervioso. Enfréntate a ese sentimiento de rechazo que estas personas te provocarán. Piensa que son así con todo el mundo, y que no es nada personal... Acostúmbrate a quitarle importancia a ese sentimiento de rechazo.
▶ Una minoría de personas entablará una breve conversación contigo. ¡Disfruta de ello!

Una rutina para tímidos valientes

Si quieres lanzarte de cabeza, aquí tienes un entrenamiento radical del legendario psicólogo Albert Ellis, que en 1933, a los diecinueve años, decidió que la mejor forma de superar su miedo a las mujeres era hablando amablemente con todas las que se encontró en un parque botánico. ¡Dicen que lo logró!... Aunque treinta se alejaron y le dejaron plantado, consiguió hablar con cien personas y, según contaba él, «ninguna vomitó ni llamó a la policía». ☺ ¡Reto cumplido!

Desde entonces, esta técnica la aplican de distintas maneras muchos personajes famosos que necesitan superar su timidez rápidamente. Cada uno tenemos nuestros puntos débiles... El reto es elegir algo que dispara tu timidez e ir a por ello. Si logras hacerlo, habrás superado una buena parte de tu timidez.

¿Preparados para este subidón de adrenalina?

LA RUTINA: Elige una situación que te dé vergüenza, y quieras superar, como por ejemplo hablar con desconocidos en el metro, ir al cine solo, ir a cenar a un restaurante solo, dar una charla a tu clase o tus compañeros de trabajo, subir a un escenario a cantar una canción de karaoke. Hazlo. No aceptes excusas ni retrases la decisión.

La diferencia entre superar tu timidez o seguir lastrado por el miedo a los demás es sencillamente que te propongas hacerlo... ¡Libérate!¡

RUTINAS EXPRÉS PARA AFRONTAR LOS MIEDOS

El miedo es una emoción primitiva y poderosa que nos condiciona hasta límites insospechados porque actúa sobre la parte más emocional —y por tanto más incontrolable— del cerebro. Aunque el miedo es una emoción imprescindible, porque nos ayuda a mantenernos con vida, nuestro cerebro programado para sobrevivir tiende a ver peligros y amenazas donde no los hay. Para no vivir presa de miedos imaginarios o exagerados, aprende a reconocer y a gestionar el miedo. ¡Aquí tienes varias sugerencias!

En torno al 10 por ciento de los adultos tienen algún miedo patológico, o fobia, que les impide llevar una vida normal. Por ejemplo, si tienes miedo a las alturas, sentirás mariposas en el estómago cuando mires por la ventana de un piso alto... Pero si tienes una fobia a las alturas, rechazarás un trabajo porque la oficina está en la parte alta de un edificio. ¡La buena noticia si tienes una fobia es que, con ayuda médica, muchas personas logran superarla!

Mide tu miedo[39]

Cuando tienes miedo, piensas automáticamente de forma menos racional. Cuando sientas miedo, usa la parte más racional del cerebro: mide tu miedo.

LA RUTINA: ¿Estás a punto de hablar en público y sientes mucho miedo? Significa que está mandando tu parte emocional. Necesitas activar la parte más racional de tu cerebro. Para ello, mide tu miedo en una escala del 1 al 10 (el 1 es cuando estás más relajado y el 10 cuando tienes más miedo).

Y ahora pregúntate: ¿en qué número de la escala estoy ahora mismo? ¿Un 7, un 5? Solo con hacer esto, bajará tu ansiedad, porque estás apelando a la parte más racional de tu cerebro y por tanto apaciguas la emoción.

SABÍAS QUE...

Algunos de los miedos adultos más corrientes son el miedo a los insectos, a las alturas, a volar en avión, a la oscuridad, al dentista... ¿Qué miedo tienes tú?

10
9
8
7
6
5
4
3
2
1
0

[39] Adaptado de www.uncommonhelp.me.

La escalera del miedo[40]

La manera más efectiva de superar el miedo es exponerse a ese temor de forma repetida, gradual y controlada. Es importante empezar por una situación que puedas manejar y trazarte un camino desde ella para adquirir seguridad en ti mismo y desarrollar tus destrezas mientras asciendes por la «escalera del miedo».

UN EJEMPLO DE ESCALERA PARA SUPERAR UN MIEDO:

EL MIEDO A LOS PERROS

▶ **Escalón 1:** mira fotos de perros

▶ **Escalón 2:** mira un video donde haya algún perro

▶ **Escalón 3:** mira un perro desde una ventana

▶ **Escalón 4:** mira a un perro desde la otra acera

▶ **Escalón 5:** mira a un perro con correa, a unos 5 metros

▶ **Escalón 6:** mira a un perro con correa, a unos 2 metros

▶ **Escalón 7:** ponte junto a un perro con correa

▶ **Escalón 8:** saluda a un perro pequeño que alguien tenga en brazos

▶ **Escalón 9:** saluda a un perro más grande con correa

▶ **Escalón 10:** saluda a un perro más grande sin correa

LA RUTINA:

¿Cuál es tu miedo más acuciante? ¿Volar, la oscuridad, hablar en público? Haz una lista de las situaciones que más te asustan relacionadas con tu miedo. Si por ejemplo te da miedo volar, en esta lista incluirías no solo sentarte en el avión y despegar, sino reservar billete, hacer la maleta, ir al aeropuerto, ver a los aviones aterrizar y despegar, pasar el control de seguridad, subir al avión y escuchar a la azafata dar las instrucciones de seguridad.

[40] Extraída de www.helpguide.org/articles/anxiety/phobias-and-fears.htm.

Construye tu escalera. Coloca en ella los elementos de tu lista, empezando por el que menos miedo te provoca hasta el que más miedo te da (ese último escalón es tu meta final, así que no te pases, ¡elige una meta realista!). El primer escalón tiene que causarte cierta ansiedad, pero no tanto miedo como para que no te puedas atrever a intentarlo.

Sube poco a poco por tu escalera del miedo. Con mucha paciencia, trabaja cada escalón hasta que te sientas relativamente cómodo. ¡No seas impaciente! ¡No intentes un nuevo escalón hasta haber logrado un nivel de ansiedad aceptable! Y si te atascas en un escalón, divídelo en más escalones.

Practica. Practica mucho, y despacio, sin forzar, ¡así progresarás! Y recuerda que con este ejercicio vas a sentir emociones un poco molestas, pero que no te pueden hacer daño. Si practicas regularmente, la ansiedad será cada vez menor.

ESCALERA DEL MIEDO

Del 0: «ME DA MUCHO MIEDO»
al 10: «HE SUPERADO MI MIEDO»

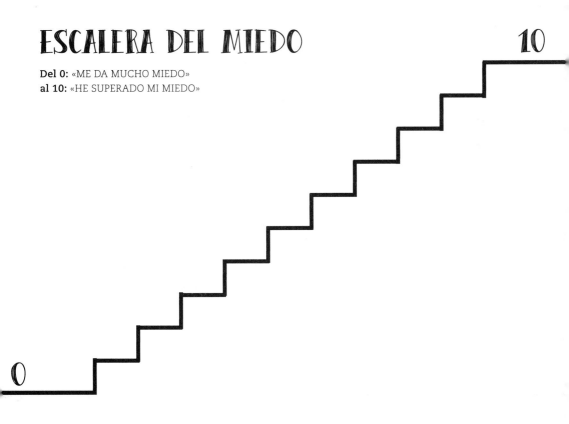

EXAMINA LOS PENSAMIENTOS NEGATIVOS QUE TE INMOVILIZAN. SI NO LOS TUVIESES, ¿QUÉ SERÍAS CAPAZ DE HACER?

....

....

....

....

....

La respiración 3-6

Este tipo de respiración es un cortocircuito para la ansiedad y la tensión. ¿Por qué? Porque cuando respiras aceleradamente, de forma poco profunda, disparas los mecanismos físicos del cuerpo que acompañan al miedo y a la ansiedad. Así que para controlar esa reacción instintiva del cuerpo cuando sientas miedo, ¡usa la respiración!

LA RUTINA: De la misma forma que tu mente y tu cuerpo reaccionan con ansiedad cuando respiras deprisa, tu mente y tu cuerpo se calman automáticamente cuando respiras despacio. Así que cuando sientas miedo,

- céntrate en tu respiración
- inspira lentamente mientras cuentas hasta tres en tu mente... 1... 2... 3...
- expira el doble de lentamente mientras cuentas hasta seis en tu mente... 1... 2... 3... 4... 5... 6...

Ensaya tu miedo[41]

Solo con temer alguna cosa, como hablar en público o ir al dentista, ya ponemos en marcha las respuestas físicas del miedo. Por ello, el biólogo Robert Sapolski asegura que lo que los humanos tememos nos afecta físicamente casi tanto como si nos estuviese ocurriendo en realidad. ¡Imagina a qué desgaste exponemos nuestros cuerpos y mentes! Pues vamos a usar este poder de la imaginación humana para ensayar las situaciones que nos dan miedo y poder así enfrentarnos mejor a ellas.

LA RUTINA: ¿Qué te da miedo? Piensa en ello mientras estás recostado en un sillón, con los ojos cerrados. Fíjate en las señales físicas de tu cuerpo: ¿Tienes las manos más húmedas? ¿El corazón más acelerado?

Ahora, practica la respiración 3-6 (ver rutina 93), es decir, expira el doble de lento de lo que inspiras. Sigue ensayando en tu mente la situación que te da miedo —por ejemplo, estás sentado en la silla del dentista, le estás hablando, te va a poner una inyección...— mientras respiras. Imagina que estás tranquilo y que todo va bien. Esto te ayudará a calmar la asociación automática entre tu miedo y tu reacción física de ansiedad, y estarás más preparado para afrontar la situación real.

[41] Adaptado de www.uncommonhelp.me

La técnica del aprieto y suelto

Como cuando respiras despacio, con esta técnica del «aprieto y suelto» vas a incidir en una emoción negativa muy potente —el miedo, o cualquiera que tengas que gestionar— a través de tu cuerpo.

Pon música de fondo si quieres, y aprieta una parte de tu cuerpo, ¡todo lo que te sea posible! Cuenta mentalmente hasta tres... ¡y suelta!

Fíjate en cómo se relaja esa parte del cuerpo, en cómo eres consciente de la diferencia entre tensión y relajación.

Contrae cada parte del cuerpo de la misma forma, hasta recorrerlo entero.

Puedes hacer una versión sentada o tumbada de esta técnica.

La técnica del estiro y relajo

Esta rutina es igual a la anterior, pero en lugar de apretar, de contraer una parte del cuerpo, se trata de estirar, alargar, ¡todo lo que te sea posible! Cuenta mentalmente hasta tres... ¡y deja ir esa parte del cuerpo!

Balancea suavemente la parte del cuerpo estirada.

Fíjate en cómo se relaja esa parte del cuerpo, en cómo eres consciente de la diferencia entre tensión y relajación.

Estira cada parte del cuerpo de la misma forma, hasta recorrerlo entero.

Puedes hacer una versión sentada o tumbada de esta técnica.

Relaja la boca y la lengua[42]

Las fibras del sistema nervioso parasimpático, el que tiene que ver con la digestión y el reposo, llenan nuestra boca.

LA RUTINA: Relaja tu boca y tu lengua, y tal vez toca tus labios. Si te cuesta conciliar el sueño, pon un puño contra tus labios, ya que ese gesto tiene un efecto calmante.

Abre (un poco) la boca

Abrir un poco la boca, relajando la mandíbula, puede ayudar a disminuir los pensamientos obsesivos porque reduce la subvocalización, es decir, el reflejo inconsciente de mover la boca y la lengua cuando estamos atrapados en discursos mentales.

Relaja el diafragma

El diafragma es el músculo que está debajo de tus pulmones y que ayuda a llenarlos de aire. Para relajarlo, pon una mano sobre tu estómago, justo debajo de las costillas, y respira como si quisieses empujar esa mano hacia fuera. Ese inspiración profunda te ayudará a calmarte.

---

[42] Las rutinas 7, 8 y 9 están adaptadas de *Buddha's Brain,* una experiencia del doctor Rick Hanson.

Practica autoafirmaciones[43]

Las autoafirmaciones son una herramienta muy potente para cambiar nuestro comportamiento. ¿Por qué? Porque somos lo que pensamos... ¿Y cómo funciona esto? Cuando somos niños, nos hablamos a nosotros mismos en voz alta, nos damos instrucciones. A medida que crecemos, interiorizamos este diálogo con nosotros mismos, como si nos diéramos órdenes o instrucciones. Poco a poco, estas instrucciones son cada vez más automáticas y guían nuestro comportamiento. Pero ¡estos diálogos internos no siempre son positivos! ¿Cómo puedo cambiarlos para que sean positivos y me guíen mejor?

LA RUTINA: Piensa en una situación o relación en la que tu comportamiento te lleva de forma consistente a actuar de manera negativa.

Decide qué autoafirmación necesitas usar conscientemente para mejorar una situación o una relación. Si quieres, apunta la afirmación que quieres trabajar en un tarjetón para tenerla a mano.

Expresa tus autoafirmaciones siempre en positivo. Por ejemplo: «Yo puedo dar una charla a mis compañeros». «Yo soy capaz de hablarle a mi madre como una persona adulta.» «Si hago deporte cada día, ¡voy a conseguir sentirme mejor!» «Puedo hacer esta dieta. ¡Sólo depende de mí». «Tengo muchos talentos y voy a utilizarlos.» «Perdono a las personas que me han hecho daño en el pasado y sigo mi camino.» «Soy creativo y se me ocurren montones de buenas ideas.»

Si tienes dudas acerca de cómo expresar tu autoafirmación, piensa simplemente en qué te gustaría conseguir y exprésalo así.

Aunque al principio te parezca algo artificial y poco creíble, a medida que interiorices y automatices el mensaje positivo empezará a influir en tu comportamiento.

¡SOY CREATIVO!

---

[43] Adaptado de www.psicologia-online.com.

RUTINAS EXPRÉS PARA DESARMAR LA SOLEDAD

A lo largo de toda la vida, tejemos afanosamente vínculos con los demás. Buscamos un refugio en sus caras, sus cuerpos, sus casas y sus ideas. Compartimos con ellos las emociones básicas, ese lenguaje universal que nos permite comunicarnos y convivir.

Nada le da más alegría a una persona que esa sensación de hermandad, de ser comprendida y apoyada por los demás.

Y, sin embargo, asegura uno de los mayores expertos en soledad, el doctor John Cacioppo, ninguno de nosotros es inmune a los sentimientos de aislamiento, de incomprensión, como no lo somos a las sensaciones del hambre o del dolor físico. La soledad es un mecanismo biológico que nos obliga a buscar la compañía de los demás, para vivir mejor y para sentirnos más útiles.

Así que es muy probable que, a pesar de vivir en un mundo superpoblado, a menudo te sientas solo, sola. Cuando el dolor y la soledad te atrapen, aquí tienes tus pequeñas revoluciones, estrategias eficaces para superarlos y desarmar la soledad.

«SI TE HACES AMIGO
DE TI MISMO, NUNCA
ESTARÁS SOLO.»

MAXWELL MALTZ

Un mapa
de la infelicidad[44]

Para dejar de sentirse solo, primero hay que reconocer que nos sentimos solos... Y eso vale para cualquier emoción negativa: si no reconoces lo que te pasa, ¡no podrás cambiarlo!

Pero no es fácil admitir este tipo de emociones, en parte porque creemos que es algo mucho menos corriente de lo que es. Pues no: el ciento por ciento de la humanidad se siente más o menos sola en algún momento.

Lo primero es comprender bien lo que te pasa.

LA RUTINA: Apunta algunas cosas de tu vida que te hacen sentir mal. ¡Es muy importante que seas específico! Para ayudarte, haz varios apartados: por ejemplo, relaciones, trabajo, salud, ocio, familia...

Esta experiencia puede ser fuerte para ti. ¿Cuántas áreas de tu vida están «en rojo»? (son las áreas con las que te sientes infeliz.) ¿Son más de las que creías? ¿Son menos? ¿Cómo te sientes?

Y ahora pasemos al apartado 2: ¿Por qué te hacen infelices estas cosas? ¿Qué añoras? Sé honesto. No te juzgues por lo que has escrito, es algo pasajero, ¡un paso necesario para hacer cambios!

Apunta ahora en el tercer apartado los cambios concretos que podrían ayudarte. Di lo que realmente te apetece.

APUNTA COSAS QUE TE HACEN SENTIR MAL:

☐ SALUD   ☐ TRABAJO   ☐ FAMILIA   ☐ AMOR   ☐ AMIGOS   ☐ DINERO

....

....

....

[44] Adaptado de http://tinybuddha.com/.

ME SIENTO MAL ¿POR QUÉ?

☐ SALUD   ☐ TRABAJO   ☐ FAMILIA   ☐ AMOR   ☐ AMIGOS   ☐ DINERO

....

....

....

....

CAMBIOS QUE QUISIERA HACER:

☐ SALUD   ☐ TRABAJO   ☐ FAMILIA   ☐ AMOR   ☐ AMIGOS   ☐ DINERO

....

....

....

«Hola, me siento solo»: una carta imaginaria

Escribe una carta imaginaria a un amigo o familiar para expresar la soledad que sientes. Esta carta es solo para ti, puedes escribirla aquí o, si lo prefieres, en cualquier papel o documento electrónico.

¿Te cuesta expresarte escribiendo? Entonces dibuja o canta acerca de tu soledad. ¿Qué emociones te acompañan? ¿La ira, la tristeza, la frustración? ¿En qué momentos concretos, con qué personas sientes esto?

Expresar los sentimientos de cualquier manera que se te ocurra es importante para que empieces a ver qué eventos o situaciones en tu vida diaria están detrás de tu soledad. Y con estas claves en la mano, puedes empezar a tomar decisiones para cambiar las cosas a mejor.

PERSONAS QUE INSPIRAN...
ELIZABETH KÜBLER-ROSS

Esta psiquiatra y escritora suiza fue una de las mayores especialistas del mundo en duelos y pérdidas. El conocido como modelo Kübler Ross ante la evidencia de la cercanía de la pérdida (negación, ira, negociación, depresión y aceptación) ha ayudado a miles de personas a enfrentarse a la negación y la ira con dignidad y aceptación.

«LAS PERSONAS MÁS MARAVILLOSAS CON LAS QUE ME HE ENCONTRADO SON AQUELLAS QUE HAN CONOCIDO EL SUFRIMIENTO, LA LUCHA Y LA PÉRDIDA, Y QUE HAN HALLADO SU CAMINO DESPUÉS DE TOCAR FONDO. ESTAS PERSONAS POSEEN UNA COMPRENSIÓN, UNA SENSIBILIDAD Y UN ENTENDIMIENTO DE LA VIDA QUE LOS LLENA DE COMPASIÓN Y DE CALIDEZ. LA GENTE BELLA NO EXISTE POR CASUALIDAD.»

ELIZABETH KÜBLER-ROSS

———————————

Mejora tu autoestima

Piensa en una cosa que los demás admiran de ti. Por ejemplo, que juegas bien al fútbol, que hablas bien un idioma, que tocas maravillosamente un instrumento, que cocinas fenomenal... Lo que sea que hagas bien o en lo que destaques, aunque sea un poco.

LO QUE LOS DEMÁS ADMIRAN DE MÍ...

Ahora piensa en una forma concreta para compartir esa cualidad o habilidad que los demás admiran de ti... ¡con más personas!. Por ejemplo, hacer un taller para conocer a personas con las que comparto esa cualidad o habilidad, ofrecerla a un conocido para algo concreto, formar un equipo, dar clases, etc.

Envía buenas señales

Las personas se sienten generalmente atraídas hacia aquellos que nos miran a los ojos y que nos sonríen. Y tú, ¿sufres de soledad? Tal vez no estás enviando buenas señales. Recuerda esto: tienes un 86 por ciento más de posibilidades de que un extraño te hable en la calle si estás sonriendo. Así que hoy, prueba a sonreír y a mirar a las personas a los ojos. No todo el mundo querrá hablar contigo por ello, pero ¡tus posibilidades aumentarán mucho!

LOS ESTUDIOS INDICAN QUE SE SIENTEN MÁS SATISFECHAS Y REALIZADAS LAS PERSONAS QUE SE HAN ARRIESGADO A HACER ALGO QUE LES IMPORTA, AUNQUE NO LO HAYAN LOGRADO, QUE LAS QUE NUNCA SE ATREVIERON. ¡MEJOR INTENTARLO Y FRACASAR QUE NO INTENTARLO NUNCA!

El síndrome de la insignificancia

El psicólogo de la Universidad de Tel Aviv Carlo Strenger dice que hay una epidemia moderna llamada «el miedo a la insignificancia», a no ser nada a ojos de los demás, a creer que nuestra vida no vale la pena. Pero ¿cómo decidimos si nuestra vida tiene valor? Esta pregunta depende de nuestra tendencia innata a compararnos con los demás.

SABÍAS QUE...

Los humanos tendemos tanto a compararnos unos con otros que los estudios muestran que en nuestro trabajo no nos importa tanto lo que ganamos sino que nuestros compañeros no ganen más que nosotros.

Si te comparas con tu familia y con tus amigos es más fácil sentirte bien contigo mismo, porque te pareces más o menos a ellos. Sin embargo, aquí está el problema: antes el mundo era más pequeño, pero ahora podemos compararnos con mucha más gente. Muchas de estas personas son famosas, y en muchos casos los famosos son productos de marketing, prefabricados, irreales... Aunque gracias a los medios de comunicación están en todas partes. Así que nos comparamos con ellos, ricos, apuestos, triunfantes o simplemente famosos. Y casi siempre, irreales, inalcanzables. Esto provoca mucha frustración.

Entonces, ¿cómo sé si mi vida es suficientemente valiosa, aunque no sea como la de la gente famosa? ¡Manos a la obra!

LA RUTINA: Imagina que te casas y estás contemplando tu propia boda desde un lugar alejado. Ahora piensa por un momento en qué te gustaría que los demás dijesen de ti. Piensa en tres o cuatro cosas por las que realmente te gustaría ser reconocido, y si los demás van a poder decirlas. Esto te dará claves para descubrir si estás viviendo de acuerdo a lo que es valioso para ti.

«EN LO MÁS PROFUNDO DE CUALQUIER SOLEDAD, HAY UN DESEO PROFUNDO Y PODEROSO DE REENCONTRARSE CON UNO MISMO.»

BRENDAN BREHAN

Haz un
cambio intencionado[45]

¡A los humanos nos encantan los cambios! Cualquier novedad nos provoca un subidón de energía y de curiosidad. Pero al poco tiempo... ¡la mayor parte de los cambios pierden su impacto y nos aburrimos de ellos! Eso pasa siempre con los **cambios circunstanciales**, es decir, cambiar de casa, un aumento de sueldo o comprar un coche, algo que haces muy de vez en cuando y ya está.

Sin embargo, cuando haces un **cambio intencionado**, diferente, más enriquecedor, como hacer un esfuerzo por lograr un objetivo o empezar una nueva actividad, hacerte miembro de un club, empezar una afición, cambiar de carrera... los efectos duran más, la satisfacción es mayor. Con ellos estás plantando las semillas para que pasen muchas cosas nuevas e inesperadas en tu vida, pequeños cambios agradables, y muchas veces inesperados, como conocer a gente nueva, viajar, ayudar, crear, divertirte...

Por ello, el psicólogo británico Richard Wiseman recomienda que para maximizar la felicidad necesitamos hacer cambios intencionados, además de cambios circunstanciales.

LA RUTINA: ¡Planifica un cambio intencionado en tu vida!, un cambio que llene el horizonte de pequeños cambios y metas para el disfrute a lo largo de mucho tiempo. Para ello, elige actividades que vayan bien con tu personalidad, valores y habilidades. Aquí tienes algunas sugerencias, y mucho espacio para crear tu propio cambio intencionado.

[45] Adaptado de *Inocencia radical*, de Elsa Punset (Aguilar, 2009).

POSIBLES CAMBIOS INTENCIONADOS	LO QUE ESPERO DE ESTE CAMBIO	LO QUE NECESITO PARA HACER ESTE CAMBIO

Por ejemplo:
Ir a una academia de baile, buscar un club de senderismo, apuntarte a un gimnasio, ir a clases de cocina, aprender yoga, volver a estudiar...

Por ejemplo:
Conocer a gente nueva, abrir un negocio derivado de mi nueva afición, cambiar de ciudad, estudiar algo que siempre me ha interesado, aprender una técnica, descubrir un país...

Por ejemplo:
Información que necesito, con quién voy a hablar, cuando lo voy a hacer...

Haz voluntariado

A menudo, sentirse mal o solo estrecha nuestro universo. Ayudar a los demás puede cambiar esa perspectiva de inmediato y darnos un enorme caudal de energía. Por esa razón, los estudios relacionan la compasión con el bienestar. Cuidar de los demás seres vivos —educar hijos, enseñar a otros, ayudar a los ancianos, cuidar de animales...— ayuda enormemente a desarmar la soledad.

LA RUTINA:

En España, organizaciones como www.hacesfalta.org o www.plataformavoluntariado.org te ayudarán a descubrir dónde puedes ayudar a los demás. Donde estés, teclea «voluntariado» o pregunta en los centros sociales de tu barrio.

Conecta con la naturaleza

*adaptado de Emma M. Seppälä, Ph.D.

Si conectar con la gente te supone un desafío, conecta con la naturaleza. Los estudios muestran que pasear por la naturaleza puede incrementar el bienestar (¡incluso en caso de depresión!) y que aumenta nuestra capacidad de conexión, e incluso nos hace más solidarios con los demás.

Contemplar un escenario natural hermoso, como un cielo estrellado o un vasto horizonte, ralentiza la percepción del paso del tiempo y nos hace sentir más presentes, más enraizados.

LA RUTINA: cuando estés caminando hoy, fíjate bien y encuentra al menos un paisaje o rincón natural (una flor, una árbol, ¡una simple maceta!...) que te alegre el día.

HOY HE ENCONTRADO ESTA MARAVILLA NATURAL:

La ingeniería inversa[46]

A veces nos cuesta comprender a quien tenemos cerca, y eso crea problemas de convivencia. ¿Qué puedes hacer? Para comprender a los demás necesitamos dedicar tiempo y atención a mirarles, sentirles y escucharles, para conectar con sus emociones y comprender lo que les mueve. Hoy vamos a trabajar esta capacidad de ponernos en la piel de los demás con un ejercicio que se llama «ingeniería inversa».

Hay ingenieros mecánicos que se pasan la vida desmontando máquinas para ver cómo se diseñaron o construyeron originalmente... Pues bien, nosotros vamos a utilizar una técnica parecida para desarrollar nuestra capacidad humana para ponernos en la piel de otra persona. ¿Cómo lo hacemos?

LA RUTINA:

▶ Piensa en alguien a quien te gustaría comprender: tu misterioso jefe, tu distante madre, alguien que te gusta pero a quien no terminas de comprender...

▶ Recuerda ahora una interacción reciente que hayas tenido con esa persona, sobre todo si en aquel momento algo te desconcertó, porque no la entendiste del todo. Ahora, imita lo mejor que puedas la postura física, la expresión de la cara, las palabras exactas que puedas recordar y hasta la entonación de la voz de esa persona.

▶ Fíjate en qué emociones sientes ahora. Estás de alguna manera en la piel de esa persona a la que no comprendes del todo. Lo que estás sintiendo probablemente se parece mucho a lo que sentía esa persona en ese momento.

▶ ¿Cuáles son sus emociones? ¿Timidez, vergüenza, miedo, envidia? Ponles nombre.

Saber lo que sienten los demás, vivirlo en tu piel, te ayudará a comprender mejor el porqué de sus reacciones y a tomar decisiones más inteligentes respecto a ellos.

---

[46] Adaptado de Emma M. Seppälä, Ph.D.

PARA
COLOREAR

No te desprecies

Nos pasa a todos: cuando nos sentimos solos, nos culpamos por ello. Es algo que aprendimos a hacer de niños, cuando el rechazo de los demás suponía una amenaza seria, y entonces no teníamos la fuerza para encontrar razones objetivas y externas a nosotros mismos. Este victimismo te hace sentir mal y no es útil para encontrar soluciones concretas.

LA RUTINA: Fíjate en qué te dices cuando te sientes solo: «Soy un perdedor... ¿cómo me va a querer alguien?... ya me lo decía (mi padre... aquel niño del colegio... ese profesor que me despreciaba...), que no tengo remedio...»

LO QUE ME DIGO CUANDO ME SIENTO SOLO:

....

....

....

¿Por qué crees que estás solo? Busca al menos una razón objetiva que puedas cambiar (no hace falta que te des prisa para contestar, puedes pintar el mandala que tienes enfrente mientras piensas...)

....

....

....

Piensa cómo podrías darle la vuelta, con qué acción concreta.

....

....

....

RUTINAS EXPRÉS PARA CALMAR LA TRISTEZA

La tristeza es una emoción básica que trae un mensaje muy claro: indica que tenemos sensación de pérdida. Existe mucha diferencia entre la tristeza crónica, que se instala tozudamente en forma de depresión y requiere, sin dudarlo, la atención de un especialista y estrategias a medio y largo plazo, y la tristeza pasajera, que responde a una pérdida puntual y que, como vamos a comprobar, puede aliviarse con más facilidad.

¿Qué nos pasa por dentro cuando entramos en una espiral de tristeza? La tristeza desencadena una intensa actividad cerebral que afecta a más de setenta áreas, entre ellas las que procesan el conflicto, el dolor, el aislamiento social, la memoria, los centros de recompensa del cerebro, la capacidad de atención, las sensaciones físicas... Y por eso nos sentimos físicamente mal cuando estamos tristes.

Entrena tu cerebro en positivo

extraído de *Una mochila para el universo*, de Elsa Punset

Hoy vamos a fijarnos en un mecanismo básico del cerebro del que en general no somos conscientes, pero que nos afecta mucho. Se trata de nuestra tendencia a ver las cosas en negativo...

Vamos a ver un ejemplo muy concreto de cómo funciona esto: si pongo imágenes distintas sobre una mesa, ¿qué eres capaz de encontrar más deprisa, las imágenes positivas o las que sugieren peligro? Pues lo más probable es que te fijes antes en una serpiente que en un helado o unas flores... ¡Y allí está el meollo de la cuestión! Nos fijamos en lo negativo porque tenemos un cerebro entrenado para sobrevivir que se fija sobre todo en lo amenazante, y puede acabar obsesionado con las situaciones tristes, con lo negativo... ¡Es para lo que estamos programados! Es lo que llamamos SESGO NEGATIVO.

Así que vamos a equilibrar y aprender a gestionar esta manía persecutoria del cerebro con un ejercicio que va a entrenarlo físicamente en positivo. ¿Te has fijado que cuando te vas a dormir sueles recordar las cosas más difíciles o desagradables que te han pasado durante el día? No eres raro, ¡es que tienes un cerebro programado para ello!

LA RUTINA: Para entrenarte en positivo, cada noche durante dos semanas, piensa en diez cosas buenas que te hayan ocurrido a lo largo del día. Muchas cosas buenas te habrán pasado desapercibidas porque tu mente no las ha registrado, no le han parecido importantes... Apúntalas en un papel, crea una memoria especial en tu cerebro. Busca y apunta detalles sencillos, como un paseo con tu hijo o la belleza de los castaños en flor.

Al cabo de unos días, notarás que este ejercicio te cuesta cada vez menos, y es que estás entrenando físicamente a tu cerebro para mirar el mundo de una forma más objetiva, a disfrutar conscientemente y a recordar lo bueno que te rodea. Bajarás tu nivel de estrés y sentirás mayor bienestar físico y mental.

UN ESTUDIO DE GABLE
Y HAIDT REVELA QUE
TENEMOS DE MEDIA
EL TRIPLE DE
EXPERIENCIAS POSITIVAS
QUE NEGATIVAS. ¡PERO
NUESTRO CEREBRO
TIENDE A FIJARSE EN
LO NEGATIVO Y A
OLVIDAR LO POSITIVO!
¿CUAL ES EL ANTÍDOTO
PERFECTO PARA ESTE
SESGO NEGATIVO?

LA GRATITUD

Haz un diario de gratitud[47]

Muchos estudios revelan que las personas más agradecidas tienden a mostrar menos problemas físicos, valoran sus vidas más positivamente, cumplen mejor sus metas y viven de forma más sana. Para potenciar ese rasgo tan beneficioso, una de las rutinas más útiles es escribir un diario de gratitud. ¡Hoy vamos a ver algunas pautas para que te embarques en ello!

LA RUTINA: No hace falta que escribas mucho; si lo prefieres, haz una lista, aunque sea breve. Apunta cada día al menos tres razones por la que puedes estar agradecido hoy. Cada vez, escribe la frase entera y sé todo lo específico que puedas:
Estoy agradecido/a porque... «hace un día magnífico», «Mis hijos no se han peleado camino del cole», «Tengo la suerte de tener un compañero que me quiere», «Anoche mi hijo me dio un masaje en los pies», «Tengo la suerte de vivir con alguien que es bastante ordenado», «Es agradable trabajar con Lucía»... Como ves, el truco está no sólo en agradecer las cosas evidentemente sorprendentes, como que te haya tocado la lotería, sino en entrenarte para fijarte en las cosas diarias que solemos dar por sentadas.

LISTA DE COSAS POR LAS QUE ESTAR AGRADECIDO

....

....

....

....

....

....

....

Con esta lista basta para entrenar el «músculo» del agradecimiento. Pero si te animas a hacer un diario más sofisticado, aquí tienes dos sugerencias:

▶ Elige cómo quieres redactar tu diario: ¿a mano? ¿En el ordenador? Elige un formato e intenta ser persistente y consistente en la forma de escribir.

▶ Si te divierte, decora tu diario: añade fotos, dibujos, citas que te inspiran; anota aniversarios que te hacen sentir agradecimiento, frases de personas queridas que te hacen sentir bien... ¡Así harás de tu diario algo que te dará alegría y te inspirará solo con abrirlo!

---

[47] Adaptado de la psicóloga y catedrática en UCLA Charlotte Reznick.

Un baño de positividad

No puedes vivir una vida positiva con una mente siempre negativa. Pensar en positivo tiene un impacto en tu salud física y mental.

LA RUTINA: ¿Cuales son tus valores positives preferidos?

....

¿Qué valores positivos has practicado esta semana: honradez, integridad, generosidad, determinación, sentido del humor...?

....

¿Cuales podrías practicar más?

....

....

Relájate

Las técnicas de relajación como la meditación, el control consciente de la respiración o la visualización son herramientas eficaces para reducir el estrés y la tensión, y gestionar las emociones más difíciles.

LA RUTINA: Aquí tienes una sugerencia sencilla que combina la respiración con la visualización: cierra los ojos y visualiza una imagen que te tranquilice (cualquier cosa, desde las olas del océano a una mascota). Mientras tomas aire y lo expulsas, retén esa imagen en tu mente y céntrate en esa imagen. Si te vienen otros pensamientos, déjalos ir, no te centres en ellos. Repite esto varias veces hasta que sientas que te invade la tranquilidad.

Lo que me hace sentir bien

A veces, cuando tenemos un mal día, olvidamos que hay pequeños gestos que pueden ayudarnos.

LA RUTINA: haz una lista de 20 cosas sencillas que te hacen sentir bien: sábanas limpias, un libro nuevo, ropa interior a juego, una canción especial, un olor concreto...

COSAS QUE ME HACEN SENTIR BIEN:

....

¡Úsalos! Regálate hoy al menos tres de estas cosas.

Anticipa la felicidad[48]

Todos experimentamos la alegría de forma anticipatoria. En otras palabras, la anticipación de un resultado que deseamos hace que nos sintamos bien. Una investigación de Brian Knutson, de la Universidad de Stanford, nos muestra que solo con mirar un objeto que deseamos, en el cerebro se activan señales neuronales asociadas con la emisión de dopamina (un neurotransmisor que se libera cuando hay signos de recompensa). Los trabajos de Knutson sugieren que no solo obtenemos felicidad cuando conseguimos, recibimos o consumimos el objeto de nuestro deseo, sino que también lo hacemos de antemano. Es decir, que no solo nos contenta comernos el pastel, sino también quedarnos mirándolo en el escaparate.

LA RUTINA: Piensa en anticipar unas vacaciones fantásticas, o un encuentro con un amigo al que no has visto desde hace mucho tiempo, o en una cena en tu restaurante preferido. ¡Hazlo ahora y disfruta de las sensaciones!

---

[48] Emma Seppala es directora asociada del Center for Compassion and Altruism Research and Education (CCARE) de la Universidad de Stanford.

Busca algo positivo en lo negativo

Intenta transformar tus pensamientos de verdad buscando el lado positivo de las situaciones negativas. Al principio, tómate esta rutina como un juego. Y, en lugar de quedarte con cosas que no van bien —quizá una relación fallida, o dificultades financieras, o problemas de salud—, intenta hallar algo positivo en esas situaciones. Por ejemplo:

▶ Estoy disgustado porque esa relación no ha funcionado, pero ahora tengo tiempo para centrarme en mí mismo y para descubrir qué es lo que quiero, y necesito, de verdad en una pareja.

▶ Mi marido sigue en el paro, pero me siento agradecido por haber podido pagar el alquiler de este mes.

▶ No me siento bien y estoy preocupado por mi salud, pero me siento agradecido por la percepción que me ha procurado sobre hasta qué punto deseo mejorar.

RESPIRA LAVANDA

¡LA AROMATERAPIA PUEDE
AYUDARTE! LOS ESTUDIOS
DEMUESTRAN QUE EL AROMA
DE LAVANDA, ENTRE OTROS,
PUEDE REDUCIR LOS NIVELES
DE ESTRÉS DE LAS PERSONAS.

FRUSTRACIÓN

CELOS

TRISTEZA

DUDAS

VERGÜENZA

ENVIDIA

EMOCIONES
NEGATIVAS

MIEDO

DESESPERANZA

PENA

DEPRESIÓN

CULPABILIDAD

TRISTEZA

Para superar las emociones negativas, siempre es útil consultar tu intuición. Ella puede guiarte. Cuando estás nervioso, te ofrece una alternativa mucho más centrada que la agitación. La intuición es una forma neutral de información que te permite calibrar muy bien la validez de tus preocupaciones. Si sintonizas con tu intuición y ves que tus preocupaciones están infundadas, te sentirás aliviado. Si están fundadas, puedes desarrollar una estrategia para lidiar con ellas.

JUDITH ORLOFF

Ponte en forma

La tristeza afecta el cerebro físicamente. Por ello, una de las estrategias más eficaces para combatir la tristeza es «poner en forma» el cerebro con ejercicio físico. El ejercicio ayuda a sintetizar química positiva, mejora la circulación cardiovascular, genera los llamados «factores neurotróficos», que estimulan la calidad y el crecimiento neuronal. Recientemente, se ha comprobado que el ejercicio físico también protege la sustancia blanca del cerebro.

LA RUTINA: En general, cualquier ejercicio bueno para tu corazón también es bueno para tu cerebro. ¡El ejercicio aeróbico es excelente para ambos! Si no quieres ir al gimnasio ni apuntarte a una clase de baile, considera una larga caminata vigorosa cada día, antes o después de trabajar.

Un viaje en el tiempo[49]

Imaginar ayuda a percibir el mundo que nos rodea con más claridad y perspectiva.

LA RUTINA: Ponte cómodo y cierra los ojos. Puedes poner música suave si quieres. Imagina que atraviesas un paisaje y llegas a un espacio —un hogar, un lugar de trabajo...— que te gustaría habitar. Construye este lugar como quieras, hasta conseguir sentirte bien allí y poder hacer todas las actividades que quieras.
En el centro de este lugar hay un enorme reloj. Gira las manillas hacia delante o hacia atrás, según quieras ir al futuro o al pasado. Usa este momento para volver a una situación difícil que no has podido cerrar positivamente: despedirte de alguien, disculparte de un error, comprender una situación difícil...

¿Qué sentido tiene hacer esto? Evitarás revivir en tu mente una situación que te daña. Encontrarás algo de paz al resolverla internamente. Le darás a tu mente la señal de dejar ir, de seguir adelante. Es un final curativo, al menos para tu psique.
Con esta técnica, también puedes ensayar alguna situación que te preocupa o, simplemente, comprobar, al ensayarla, si realmente quieres que ocurra.

---

[49] Adaptado de Marianne Franke-Gricksh.

Volver a empezar[50]

Ante una pérdida, tienes dos opciones: reemplazar lo que ya no tienes o lamentarte por haberlo perdido. Yo pienso que deberías reemplazar todo lo que puedas. ¿Que perdiste tu infancia? También le ocurrió a Belinda, cuya terrible niñez fue seguida por un matrimonio terrible y, luego, por un divorcio todavía peor. «Después de que mi marido me dejara», me dijo Melinda, «dejé de sentir pena por mí misma y decidí que debía salir al mundo para tener todo aquello que debería haber tenido de niña». Mientras Belinda aprendía a ser una adulta soltera y responsable, también experimentó una infancia feliz. Invertía una parte de cada día en subir a montañas rusas, comer palomitas, leer los libros de Harry Potter y salir con un grupo de amigos que crecía y crecía. Se tiñó el pelo de color púrpura («cereza», decía ella) y se pintaba las uñas de color azul. También, a los cincuenta, se compró la muñeca más bonita, la que su corazón de diez años quería.

Esta fase duró unos cinco años, durante los cuales el ser esencial de Belinda floreció tanto a nivel profesional como a nivel personal. Empezó a trabajar en un periódico con la misma alegría infantil con la que iba a parques de atracciones. Esto le terminó valiendo un puesto de trabajo como crítica de cine, un trabajo que estaba más allá de sus expectativas más optimistas. «Siento que pasé los primeros cincuenta años de mi vida suspendida en una especie de estado fetal, esperando a que empezara de verdad mi niñez», me dijo. «Supongo que me arrepiento de los años que me pasé esperando, pero la verdad es que me lo estoy pasando demasiado bien como para lamentarme.»

Sea cual sea la pérdida que lloras, debes examinar detenidamente qué parte puedes reemplazar. Incluso si eres capaz de recuperar aquello que has perdido, deberías ser capaz de encontrar una forma de satisfacer todos tus deseos para evitar pasarte horas, días o semanas sintiendo dolor por la pérdida.

LA RUTINA: Piensa en algo que has perdido, algo que sientes que te quitaron injustamente. ¿Qué es, exactamente, lo que echas de menos? ¿Tienes alguna forma de encontrar algo que reemplace esa necesidad? ¡Sé creativo! Busca y satisface esa necesidad.

---

[50] Adaptado de *Encuentre su propia estrella polar*, Martha Beck

«EN LUGAR DE PREGUNTARME POR QUÉ SE FUERON LAS PERSONAS QUE YA NO ESTÁN, AHORA ME PREGUNTO QUÉ BELLEZA CREARÉ EN EL ESPACIO QUE YA NO OCUPAN.»

RUDY FRANCISCO

RUTINAS EXPRÉS PARA MANEJAR LA IRA Y LOS ENFADOS

La ira es una emoción intensa y muy potente. ¡Manéjala con cuidado! Bien expresada, es el germen de la justicia social, la emoción que nos lleva a defender lo que nos importa. Pero mal aplicada es tremendamente destructiva.

Es natural sentir, expresar y descargar la ira. Existen maneras constructivas de hacerlo, y precisamente de eso trata la gestión de la ira. Comprender lo que te enfurece es la mejor forma de empezar, ya que desde ahí puedes trazar un plan para minimizar tu frustración y comprender lo que te causa ira.

No dejes que la ira te controle. ¡Afróntala y vuelve a tomar el control de tu vida!

Aprende a decir que no

A menudo pensamos que cuando decimos NO estamos siendo egoístas o antipáticos....¡Y no es así! Se trata sencillamente de tener claros cuales son los límites de cada relación o situación.

LA RUTINA: Piensa en una relación o situación, y considera qué cosas puedes aceptar y tolerar, y qué cosas te hacen sentir incómodo o estresado. Estos sentimientos son los que pueden ayudarte a conocer bien tus límites en esa situación o relación. Respetar esos sentimientos es necesario para tu bienestar y equilibrio emocional.

QUÉ COSAS PUEDO TOLERAR Y ACEPTAR	QUÉ COSAS ME HACEN SENTIR INCÓMODO O ESTRESADO
....	....
....	....
....	....
....	....
....	....
....	....
....	....
....	....
....	....

¿CÓMO RESUELVES TUS CONFLICTOS CON LOS DEMÁS?

IMAGINA QUE EL MUNDO ES UN ESCENARIO.

☐ SI TIENES UN ESTILO DE **COMUNICACIÓN PASIVA**, ACTÚAS COMO SI TODO EL MUNDO PUDIESE SUBIR A ESE ESCENARIO MENOS TÚ. TU PAPEL PARECE SER EL DE ACTUAR COMO PÚBLICO Y APOYAR AL RESTO DEL MUNDO.

☐ SI TIENES UN ESTILO DE **COMUNICACIÓN AGRESIVA**, SUBES AL ESCENARIO, PERO TE PASAS MUCHO TIEMPO ECHANDO A LOS DEMÁS DE ALLÍ... HACES UN PAPEL DE GUERRERO.

☐ SI TIENES UN ESTILO DE **COMUNICACIÓN ASERTIVA**, PIENSAS QUE TODOS SON BIENVENIDOS AL ESCENARIO. ¡INCLUIDO TÚ!

Practica la asertividad

¿Tienes un problema específico con alguien, pero crees que el estrés te va a impedir expresarte con asertividad? La asertividad significa que eres capaz de defenderte a ti mismo de un modo positivo y proactivo, que no te tragas tus sentimientos, como hacen las personas con un modo de comunicación pasivo, y que no necesitas expresarte agresivamente. Las personas asertivas logran hacerse escuchar sin agredir y sin menospreciarse. Evitan dos reacciones muy viscerales que tenemos todos programadas en nuestra mente: ante el estrés, huimos o agredimos.

LA RUTINA: Practica deliberadamente un estilo de comunicación asertivo en situaciones sencillas, pero que te estresen un poco (como pedir que te cambien de mesa en el restaurante). Practica la misma situación hasta que sepas gestionar mejor el estrés que supone tener que expresar tus necesidades a los demás.

Piensa en una situación que te genere un poco de estrés, en la que te cueste encontrar el tono justo entre la pasividad y la agresividad.

Un antídoto para la ira[51]

Cada emoción deja una huella en el cuerpo. Por ello, cuando sientes desprecio o resentimiento hacia alguien, quien padece los efectos de esas emociones negativas en el cuerpo... ¡eres tú! Esas emociones son muy difíciles de gestionar.

Una forma de hacerlo que puede resultar bastante eficaz es usar, como antídoto a la rabia, una afirmación de perdón. Es una forma sencilla de expresar y dejar ir de alguna manera esa emoción hiriente. No hace falta que creas en esta estrategia para hacerlo: simplemente, prueba. Estás dando un mensaje sutil a tu mente, sobre todo a tu mente inconsciente.

LA RUTINA:

▶ Imagina a la persona con la que estás enfadado; también puede ser una organización, o cualquier entidad vinculada a tu pasado o a tu presente. Incluso podrías ser tú mismo, si has hecho algo que te sigues reprochando.

▶ Di en tu cabeza que perdonas a esa persona o grupo. Podrías expresarlo así: «Te/os perdono completamente. Este problema está resuelto para mí. Lo hago desde el corazón, estoy en paz».

Haz esto varias veces al día, preferiblemente cuando estés relajado. Hazlo cada vez que tengas un problema con alguien. ¡Y observa poco a poco cómo reaccionas!

---

[51] Adaptado de Ira Green.

«SOLO HAY DOS EMOCIONES: EL AMOR Y EL MIEDO. TODAS LAS EMOCIONES POSITIVAS NACEN DEL AMOR Y TODAS LAS EMOCIONES NEGATIVAS, DEL MIEDO. DEL AMOR FLUYEN LA FELICIDAD, LA PAZ Y LA ALEGRÍA. DEL MIEDO NACEN LA RABIA, EL ODIO, LA ANSIEDAD Y LA CULPA. PORQUE NO PODEMOS SENTIR ESTAS DOS EMOCIONES A LA VEZ, EN EL MISMO INSTANTE. SON OPUESTAS. SI TENEMOS MIEDO, NO NOS ENCONTRAMOS EN UN LUGAR DE AMOR. CUANDO ESTAMOS EN UN LUGAR DE AMOR, NO PODEMOS ESTAR EN UN LUGAR DE MIEDO.»

ELIZABETH KÜBLER-ROSS

El mensaje del yo[52]

Practica y utiliza formas de comunicarte eficaces, como el uso de los mensajes que empiezan con la palabra YO. Estos tienden a ser menos provocadores que los mensajes que empezamos con la palabra TÚ: «Tú has roto tu promesa», «Tú no me escuchas», «Tú siempre llegas tarde»..., de los que posiblemente recibirás respuestas hostiles y a la defensiva. Esto complica mucho la resolución de un conflicto.

Con el mensaje del YO, el foco lo pones en cómo te sientes tú frente a una situación o comportamiento. Expones una situación de forma objetiva, y hablas del efecto de esta situación sobre ti, sin crítica ni agresividad. Las investigaciones nos muestran que esto es mucho más eficaz a la hora de resolver conflictos.

LA RUTINA:

El mensaje del YO tiene cuatro pasos:

1 Yo me siento (expresa tu sentimiento)

2 Cuando tú... (describe la acción que te afecta)

3 Porque... (explica cómo te afecta esa acción)

4 Y me gustaría... (sugiere cómo te sentirías mejor).

Un mensaje del YO tienen muchas más posibilidades de cambiar el comportamiento de la otra persona, porque protege su autoestima, protege vuestra relación y os ayuda a ambos a comprender más claramente lo que está fallando entre vosotros (ya que expresáis el problema de forma concreta).

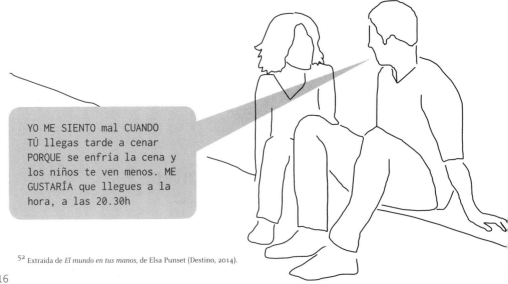

YO ME SIENTO mal CUANDO TÚ llegas tarde a cenar PORQUE se enfría la cena y los niños te ven menos. ME GUSTARÍA que llegues a la hora, a las 20.30h

[52] Extraída de *El mundo en tus manos*, de Elsa Punset (Destino, 2014).

Se una mosca en la pared

La ira es una emoción muy potente, que cuesta controlar. Una estrategia útil tiene que ver con tomar una distancia física de una pelea, pero como esto no siempre es posible también puedes tomar una distancia intelectual con respecto a lo que te está alterando.

LA RUTINA: Hay ruido, gritos o mal rollo a tu alrededor. Sientes que no vas a poder controlar la situación y prefieres distanciarte. Imagina que eres una mosca en la pared. Estás allí arriba, escuchando y contemplando la situación con mucha distancia. Lo que está pasando allí abajo no va contigo.

El semáforo[53]

Para calmar la ira, prueba esta excelente y clásica estrategia.

LA RUTINA: Cuando empieces a sentir que te enfadas, imagina que estás frente a un semáforo. Se enciende la luz roja. Esta luz te recuerda que debes DETE-NERTE, respirar, hacer una pausa, alejarte y reflexionar sobre la situación. Mientras lo haces, mira cómo la luz naranja parpadea, indicando que estás decidiendo cómo actuar. Cuando se encienda la luz verde, tu mente te está diciendo que puedes avanzar con cuidado y serenidad.

[53] Adaptado de la psiquiatra Judith Orloff.

Elimina la ira de tu sistema

Para seguir calmando tu cerebro después de un enfado, tómate una larga pausa de varias horas. Reduce la estimulación externa, baja la luz, escucha música suave, medita, haz ejercicio o yoga para eliminar la ira de tu sistema.

Cuenta hasta diez

Para controlar la subida de adrenalina que produce la ira, practica la capacidad de no reaccionar de forma impulsiva.

LA RUTINA: Espera un poco antes de hablar o contestar. Respira hondo unas cuantas veces y, muy despacio, cuenta hasta diez. Aprovecha ese momento para serenarte y decidir menos emocionalmente qué quieres hacer y decir, para que no sea algo de lo que te puedas llegar a arrepentir.

Si dudas, no lo hagas

Recuerda que tu mente inconsciente es sabia y te conoce bien.

LA RUTINA:
¿Has escrito un correo electrónico con el que no te sientes del todo cómodo? No lo envíes, espera a mañana.

«CUANDO SALÍ PARA SER LIBRE, SUPE QUE SI NO DEJABA ATRÁS TODA LA IRA, EL ODIO Y LA AMAR-GURA, SEGUIRÍA ENCARCELADO.»

NELSON MANDELA

La haka[54]

¿Ya has probado las poses poderosas que están en tu libro de las pequeñas revoluciones? El baile conocido como *haka* de los maoríes de Nueva Zelanda es una expresión perfecta del poder de los gestos y las posturas en la mente humana. ¿Quieres expresar una emoción, tanto si es negativa como positiva, y sacarla de dentro con una *haka*?

LA RUTINA: Aquí tienes cómo hacerlo en once pasos: ¡manos contra los muslos! ¡lengua fuera! ¡dobla las rodillas!...

1. LÍDER (POSICIÓN DE INICIO)
«Ringa pakia! Uma tiraha! Turi whatia, Hope whai ake.» (maorí)

«¡Date palmadas en los muslos! ¡Hincha el pecho! Dobla las rodillas, deja que las caderas te sigan.»

2. LÍDER
«Waewae takahia kia kino!»
«¡Da pisotones tan fuerte como puedas!»

«Ka mate, ka mate!»
«¡Es la muerte! ¡Es la muerte!» X6

3. EQUIPO
«Ka ora! Ka ora!»
«¡Es la vida! ¡Es la vida!»

4. EQUIPO
«Ka mate, ka mate!»
«¡Es la muerte! ¡Es la muerte!» X2

---

[54] Un ejemplo de cómo la haka sirve también para expresar los sentimientos más tiernos lo encontramos en las imágenes en esta boda: https://www.facebook.com/thewestaustralian/videos/10153894562624439/).

5. EQUIPO

«Ka ora! Ka ora!»

«¡Es la vida! ¡Es la vida!»

6. EQUIPO

«Tenei te tangata puhuru huru.»

«Esta es la persona feroz y poderosa.»

7. EQUIPO

«Nana nei tiki mai whakawhiti te ra.»

«Que hizo que el sol volviera a brillar por él.»

8. EQUIPO

«A Upane! Ka Upane!»

«¡Por la escalera! ¡Por la escalera!»

9. EQUIPO

«Upane Kaupane.»

«Hasta la cima.»

10. EQUIPO

«Whiti te ra!»

«¡El sol brilla!»

10. EQUIPO

«Hi!»

«¡Ponte en pie!»

HAZ UNA LISTA DE LO QUE TE ENFADA[55]

Escribir una lista de las cosas que suelen enfadarte puede ser muy útil para adelantarte a esa reacción. Por ejemplo, ¿pierdes los nervios cuando llegas tarde, cuando tu hijo adolescente deja sus platos sucios sobre la mesa o cuando no encuentras una plaza para dejar el coche...?

COSAS QUE ME ENFADAN

▶
....
▶
....
▶
....
▶
....
▶
....
▶
....
▶
....
▶
....
▶
....
▶
....
▶
....
▶
....
▶
....
▶
....
▶
....

RECONOCE LAS SEÑALES FÍSICAS DEL ENFADO[56]

Fíjate en qué cosas te dice tu cuerpo cuando te estás enfadando: ¿Se acelera tu corazón? ¿Se te pone roja la cara? ¿Sudas? ¿Tienes la mandíbula tensa? ¿Aprietas los dientes? ¿Respiras más deprisa...? Cuanto antes logres reconocer estas señales, más fácilmente lograrás recurrir a una de tus estrategias para controlar el enfado.

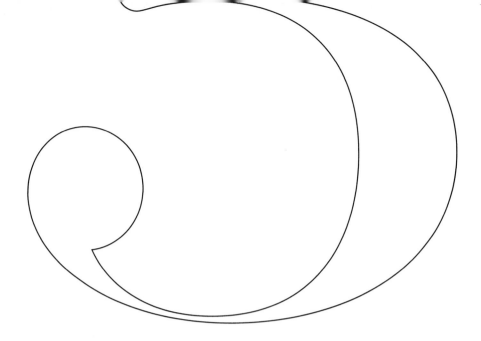

BLOQUE 3

CONOCERME, CRECER, VIVIR

«Solía imaginar una mariposa cada vez que escuchaba la palabra transformación, pero la vida me ha dado una lección. La transformación no es una mariposa. Es lo que te pasa antes de que puedas salir volando como ese bonito insecto. Es acurrucarte en el capullo negro y luego abrirte paso hacia afuera... Es el trabajo sucio que tienes por delante para encontrar sentido a tu suerte y a tus infortunios, a tus deseos y dudas, resacas y penas, acciones y accidentes, errores y éxitos, para que puedas seguir adelante y convertirte en la persona en la que tienes que convertirte ahora.»

CHERYL STRAYED
Tiny Beautiful Things: Advice on Love and Life from Dear Sugar.

☀ BLOQUE 3: CONOCERME, CRECER, VIVIR

«TANTO SI CREES
QUE PUEDES COMO
SI NO, TIENES
RAZÓN.»

HENRY FORD

RUTINAS EXPRÉS PARA TENER UNA MENTE MÁS OBJETIVA Y ABIERTA

A lo largo del día tomas muchas decisiones. Para hacerlo de forma rápida y lo más segura posible, tu cerebro ha desarrollado una serie de prejuicios que le guían a la hora de tomarlas. Es lo que Amos Tversky y Daniel Kahneman, en la década de los años setenta del siglo pasado, llamaron «sesgos cognitivos». Este tipo de sesgos, inconscientes y muy poderosos, rigen la mayor parte de nuestras decisiones.

Un sesgo cognitivo es mucho más peligroso que un simple fallo lógico, porque lo cometemos sin darnos cuenta de ello: es una limitación o deficiencia inherente al cerebro humano, que implica que damos una respuesta emocional inmediata sin razonar, sin cuestionar, de forma intuitiva. Los sesgos cognitivos nos llevan a cometer errores graves, y a veces muy injustos. Ser consciente de cómo un sesgo cognitivo nos influye es la mejor manera de lograr sustraerse a su influencia. Por ello, vamos a revisar algunos de los principales sesgos cognitivos en los que solemos caer, precisamente... ¡para poder evitarlos!

Para entrenar tu mente a ser más objetiva y libre, elige un sesgo negativo y simplemente observa a lo largo del día si te dejas llevar por esa forma de pensar automática e inconsciente. Céntrate solo en un sesgo por día. Al pie de cada sesgo cognitivo encontrarás espacio para apuntar, si quieres, momentos concretos del día en los que te dejas llevar por alguno de ellos...

La tendencia a fijarme solo en lo que me da la razón

(En inglés, *confirmation bias*.) Tendemos a fijarnos y dar por buena la información que confirma nuestras creencias, y tendemos a rechazar o a no fijarnos en la información que contradice nuestras creencias. ¡Encuentras lo que buscas!

LA RUTINA: Observa a lo largo del día si te dejas llevar por esta forma de pensar automática e inconsciente, y anótalo.

....

....

....

....

....

....

....

....

La tendencia a creer que mi grupo siempre tiene razón

(En ingles, *ingroup bias.*) Esta tendencia es un recuerdo de nuestro pasado tribal: tendemos a no fiarnos, a desdeñar o a tener miedo de las personas que están fuera de nuestro grupo. En cambio, sobreestimamos las cualidades, valores y creencias de nuestro grupo, y a favorecerlos.

LA RUTINA: Observa a lo largo del día si te dejas llevar por esta forma de pensar automática e inconsciente, y anótalo.

....

....

....

....

....

....

....

....

La tendencia a creer que los éxitos son cosa mía y los fracasos, de los demás

(En ingles, *self-serving bias.*) Este sesgo de la mente, que es muy corriente, nos lleva a sentir que los éxitos son gracias a nuestras cualidades, pero que los fracasos ocurren por culpa de los demás o de las circunstancias. Así mejoramos nuestra autoestima y evitamos responsabilizarnos.

Ejemplos de este sesgo: Si saco buena nota en un examen, es porque he trabajado duro y soy inteligente. Si suspendo, es porque el profesor puso preguntas trampa o no explicó bien los temas. Este sesgo puede reducir nuestras oportunidades de aprender y mejorar. En cambio, si aprendemos a escuchar las críticas y mejorar nuestras debilidades podremos mejorar nuestras habilidades.

LA RUTINA: Observa a lo largo del día si te dejas llevar por esta forma de pensar automática e inconsciente, y anótalo.

....

....

....

....

....

La tendencia a justificar una compra o decisión importante contra viento y marea

(En inglés, *buyer´s Stockholm syndrome.*) Tendemos a justificar, incluso inconscientemente, una compra reciente, o decisión costosa, sobre todo si ha sido cara. Cuanto más has invertido en algo, más te cuesta reconocer que ha sido un error. En esos casos, seremos subjetivos aconsejando a los demás de cara a realizar la misma compra o decisión.

LA RUTINA: Observa a lo largo del día si te dejas llevar por esta forma de pensar automática e inconsciente, y anótalo.

....

....

....

....

....

....

....

....

La tendencia a no calcular bien el peligro

(En inglés, *neglecting probability bias.*) Se trata de nuestra tendencia a no calcular bien los peligros y riesgos. Por ejemplo, es más probable morir en un accidente de coche (1 posibilidad entre 84) que de avión (1 posibilidad entre 5.000). Es más probable morir bajando una escalera que en un acto terrorista.

LA RUTINA: Observa a lo largo del día si te dejas llevar por esta forma de pensar automática e inconsciente, y anótalo.

....

....

....

....

....

....

....

....

....

La tendencia a evitar los cambios ↻

(En inglés, *status quo bias*.) Es una tendencia y un reflejo ancestral del cerebro programado para sobrevivir: ¡preferimos lo malo conocido que lo bueno por conocer! Nos da miedo cambiar, y solemos tomar decisiones para asegurarnos de que las cosas cambien poco. Esto tiene ramificaciones evidentes en política, en economía... porque tendemos a no cambiar de partido político, de comida favorita o de rutinas, ya que en el fondo tememos que cualquier otra elección sea peor.

LA RUTINA: Observa a lo largo del día si te dejas llevar por esta forma de pensar automática e inconsciente, y anótalo.

....

....

La tendencia a fijarnos más en lo negativo ▬

(En inglés, *negativity bias*.) Prestamos más atención a las malas noticias: a nuestro cerebro programado para sobrevivir le gustan más, porque le parecen más «serias» y dignas de atención. También memorizamos mejor las noticias amenazantes, peligrosas o tristes. Y lo justificamos todo creyendo que estamos siendo realistas.

LA RUTINA: Observa a lo largo del día si te dejas llevar por esta forma de pensar automática e inconsciente, y anótalo.

....

....

La tendencia a creer lo que cree todo el mundo

(En inglés, *bandwagon effect*.) Se conoce como «efecto de arrastre» o «subirse al carro», o también como tendencia de manada. Y es que nos encanta estar de acuerdo con la mayoría, conformarnos; nos sentimos bien pensando como los demás, da igual que sea una manifestación con millones de desconocidos, con los compañeros de la oficina o con la tribu familiar. Formar parte de las creencias de un grupo nos hace sentir más seguros, así que cuanta más gente cree algo, más probabilidades hay de que otras personas se apunten. Este es un sesgo cognitivo muy potente, y una de las razones por las que las reuniones de grupo suelen ser poco productivas.

LA RUTINA: Observa a lo largo del día si te dejas llevar por esta forma de pensar automática e inconsciente, y anótalo.

....

....

....

....

....

....

....

La tendencia a hacer de avestruz

(En inglés, *anchoring effect*.) Es la tendencia a ignorar o minimizar la información que nos parece peligrosa o negativa para nosotros. Por ejemplo, los fumadores minimizan los efectos del tabaco en su salud, o los inversores miran menos sus inversiones durante una mala racha del mercado.

LA RUTINA: Observa a lo largo del día si te dejas llevar por esta forma de pensar automática e inconsciente, y anótalo.

....

....

....

La tendencia a estereotipar

(En inglés, *stereotyping bias*.) Tendemos a creer que un grupo o persona tiene determinadas cualidades o defectos aunque no tengamos información objetiva sobre ellos. Esto nos permite identificar rápidamente a los extraños como amigos o enemigos, pero nuestro cerebro suele abusar de este cómodo sesgo cognitivo.

LA RUTINA: Observa a lo largo del día si te dejas llevar por esta forma de pensar automática e inconsciente, y anótalo.

....

....

¿CÓMO SABER SI ERES EMOCIONALMENTE INTELIGENTE?[57]

La inteligencia emocional es ese «algo» intangible que hay en cada uno de nosotros que afecta cómo gestionamos nuestro comportamiento, nos desenvolvemos entre las complejidades sociales y tomamos decisiones personales.

Para saber si eres una persona emocionalmente inteligente, te propongo que marques en cada ítem las características que Travis Bradberry adjudica a dichas personas.

☐ TIENES UN SÓLIDO VOCABULARIO EMOCIONAL

Todo el mundo experimenta emociones, pero solo unos pocos pueden identificarlas con precisión mientras las sienten. Las personas con una alta inteligencia emocional son capaces de dominar sus emociones porque las entienden y saben definirlas.

☐ TE INTERESAN LAS PERSONAS

Las personas emocionalmente inteligentes sienten curiosidad por las personas que les rodean, una curiosidad fruto de la empatía, de su capacidad de ponerse en la piel del otro para comprenderlo y, si procede, incluso ayudarlo.

☐ ACEPTAS LOS CAMBIOS

Las personas emocionalmente inteligentes son flexibles y se adaptan constantemente. Saben que el miedo al cambio es paralizante y una amenaza para su éxito y su felicidad.

☐ CONOCES TUS VIRTUDES Y TUS DEFECTOS

Las personas emocionalmente inteligentes saben en qué son buenos y en qué son un desastre. Conocer tus puntos fuertes y saber cómo apoyarte en ellos para usarlos en tu beneficio e impedir que tus defectos te frenen es una muestra de inteligencia emocional.

☐ JUZGAS ADECUADAMENTE A LAS PERSONAS

Gran parte de la inteligencia emocional proviene de la conciencia social, es decir, de la capacidad de leer a las otras personas, saber «de qué van» y entender por qué están pasando.

☐ ES DIFÍCIL OFENDERTE

Las personas con inteligencia emocional están seguras de ellas mismas y tienen la mente abierta. Puedes incluso reírte de ti mismo o dejar que los demás se rían de ti porque eres capaz de ver la diferencia entre el humor y un trato degradante.

[57] Travis Bradberry, autor de *Inteligencia emocional 2.0*.

☐ SABES CÓMO DECIR NO (A TI Y A LOS DEMÁS).

La inteligencia emocional implica autocontrol, la capacidad de aplazar la recompensa y de evitar actuar de forma impulsiva.

☐ TE DESPRENDES DE TUS ERRORES

Las personas emocionalmente inteligentes se distancian de sus errores, pero sin olvidarlos. Al mantenerse a una distancia prudente de sus errores, aunque sin olvidarlos, estas personas son capaces de adaptarse y reajustarse para hacerlo mejor en el futuro.

☐ NO ERES RENCOROSO

Aferrarte a un viejo rencor significa estrés, y las personas con inteligencia emocional saben evitarlo. Dejar ir el rencor no solo te hace sentir mejor sino que mejora tu salud.

☐ NEUTRALIZAS A LAS PERSONAS TÓXICAS

Las personas con inteligencia emocional controlan sus interacciones con personas tóxicas gracias a su autocontrol. Cuando necesitan enfrentarse a una persona tóxica, se aproximan a la situación de forma racional. Identifican sus emociones y no permiten que la rabia o la frustración contribuyan al caos.

☐ NO BUSCAS LA PERFECCIÓN

Las personas con inteligencia emocional no aspiran a la perfección porque saben que no existe. Los humanos son falibles por naturaleza. Hay que centrarse en mirar hacia delante, contento de lo que has conseguido y de lo que conseguirás en el futuro.

☐ VALORAS LO QUE TIENES

Tomarte tiempo para pensar en las cosas por las que sientes agradecimiento mejora tu estado de ánimo al reducir la hormona del estrés, el cortisol.

☐ FRENAS EL PENSAMIENTO NEGATIVO CUANDO APARECE

Cuanto más les das vueltas a los pensamientos negativos, más poder les das. La mayor parte de nuestros pensamientos negativos son solo eso, pensamientos, y no hechos. Las personas con inteligencia emocional separan sus pensamientos de los hechos en sí para escapar del círculo de negatividad y mejorar su perspectiva de las cosas.

☐ NO DEJAS QUE NADIE LIMITE TU ALEGRÍA

Cuando tu satisfacción se deriva de las opiniones de otras personas dejas de ser el creador de tu felicidad. Las personas con inteligencia emocional no dejan que la opinión negativa de nadie disminuya su alegría.

RUTINAS EXPRÉS PARA LIMPIAR LA CULPA Y LA AMARGURA

«Por qué has hecho esto? ¿Por qué no lo has hecho? ¡Deberías hacer esto!...» Desde que nacemos, navegamos en el mar revuelto de las expectativas de los demás y de nuestro propio deseo de estar a la altura, de no fallar a la familia, a los amigos, en el trabajo... Responsabilizarse y tener buena consciencia es necesario, pero ¿dónde están los límites? ¿Cuándo es exagerada la culpa y la preocupación? ¿Qué hacer cuándo nos desgastan y debilitan los cuidados por los demás?

Crecer y madurar implica descubrir y reconocer nuestros límites, o, como los llama el doctor Horacio Verini, nuestras fronteras íntimas, personales. Descubrirlas, trazarlas claramente, respetarlas y hacerlas respetar, con compasión y sin agresividad, es la piedra de toque de la madurez.

Un protocolo para enfrentarte a la culpabilidad[58]

¿TE SIENTES CULPABLE?

☐ Piensas en algo que has hecho, o no has hecho, y te sientes fatal...

☐ Sientes que tienes que justificarte, aunque nadie te lo esté pidiendo.

☐ Te pones a la defensiva cuando alguien menciona ese comportamiento o acción.

☐ Cuando piensas en ese comportamiento o acción, te duele.

¿Te sientes culpable por algo? Tanto si tu culpabilidad está justificada como si no, si te sientes culpable, te sientes mal contigo mismo y quieres castigarte por ello. ¿Está justificada tu culpabilidad? A menudo, nos sentimos culpables con un tipo de culpabilidad difusa, como una niebla emocional... y esa niebla suele estar relacionada con personas a las que queremos, y de las que pensamos, con razón o sin ella, que nos reprochan algún comportamiento o acción.

¿O te sientes culpabilidad porque no estás siguiendo los valores de los demás? ¿Te sientes culpable porque te estás fallando a ti mismo, a tus propios valores? ¡Es una diferencia muy importante!

Vamos a descubrirlo.

¿TENGO RAZÓN EN SENTIRME CULPABLE?

APUNTA AQUÍ AQUELLO POR LO QUE SIENTES CULPABILIDAD.

Me siento culpable por ....

....

....

---

[58] Adaptado de http://www.alifeonyourterms.com/a-life-on-your-terms/.

PREGÚNTATE:

▶ ¿En base a los valores de quién me estoy juzgando?

....

▶ Si te estás juzgando por tus valores, ¿por qué crees en estos valores? ¿Estás seguro de que son tus valores, y no los de otra persona?

....

....

▶ Si son tus valores de verdad, pregúntate ahora qué es lo que de verdad piensas acerca de este tema.

....

....

▶ Si nadie en el mundo fuese a enterarse, ¿te seguirías sintiendo culpable? ¿O te sientes culpable porque los demás te juzgan?

....

....

Bien, ¿y qué pasa si llegas a la conclusión de que debes sentirte culpable por este comportamiento o acción? (Si has llegado a la conclusión opuesta, deja ya la rutina: ya has aprendido lo que necesitas, ¡disfruta de tu día!)

SI SOY CULPABLE...
¿CÓMO ME ENFRENTO A ESA EMOCIÓN?

Sí, vale, te has equivocado, pero... ¡ten un poco de compasión contigo mismo! Cambia el odio o el desprecio que sientes hacia ti mismo por algo más constructivo: sentir lo que has hecho y sentir remordimiento.

PREGÚNTATE:

▶ ¿Cuáles fueron las circunstancias?

▶ ¿Por qué lo hiciste en ese momento?

▶ ¿Qué intentabas hacer?

▶ ¿Cómo intentabas entonces cuidar de ti mismo, protegerte? (Recuerda que protegerte y cuidar de ti mismo es lícito, ¡esa parte no te la puedes reprochar!)

Sentirte culpable no puede cambiar nada, no sirve de nada. Solo es útil si se convierte en una lección de vida para ti. Aquí tienes un plan para cerrar en positivo tu sentimiento de culpabilidad:

LA RUTINA:

Repasa este plan punto por punto, asegúrate de que comprendes cada paso y apunta aquí las ideas que te puedan ayudar a llevarlo a cabo.

1 Admite que te has equivocado.

2 Comprende las circunstancias en las que cometiste ese error (para eso sirven las preguntas anteriores), y piensa cómo podrías reemplazar ahora aquel comportamiento, por otro más lícito y más íntegro.

....

....

3 Reconoce de forma explícita a la persona a la que has hecho daño que eso es así.

4 Haz todo lo que puedas para aliviar los efectos del daño que le has hecho.

....

....

5 Aprende de tu error, y proponte no volver a cometerlo. Si no lo haces, no podrás confiar en ti mismo.

....

....

PERDÓNATE. LOS ERRORES SON HUMANOS, ¡SON NUESTRA FORMA DE APRENDER Y CRECER!

Escribe una carta[59]

Cuando llevamos una carga emocional negativa fuerte, no hay más remedio que hacer un trabajo de fondo para comprender y limpiar esas emociones negativas. Para ello, el primer paso es aceptar la emoción que sientes, no intentar reprimirla. Date permiso para sentir esa emoción negativa, por ejemplo, decepción o tristeza.

LA RUTINA: Pregúntate: ¿qué sensaciones dejan estas emociones en mi cuerpo? ¿Cómo me afecta esta sensación de haber sido abandonado, o traicionado, o lleno de rabia? No tengas prisa, piensa en ello hasta que lo tengas lo más claro posible. Si puedes, busca a un amigo o terapeuta con quien puedas compartir esta emoción o emociones negativas.

Ahora que te has centrado en reconocer estas emociones, que sabes ponerles nombres y que eres consciente de lo que te hacen, ESCRIBE UNA CARTA donde hables de esas emociones negativas. No hace falta que la envíes, pero te ayudará a poner negro sobre blanco respecto estas emociones que te llenan, describirlas y nombrarlas. Cuando escribas esa carta, habrás dado un lugar a tus emociones negativas donde puedan habitar, fuera de tu mente y de tu cuerpo.

---

[59] Adaptado de la *coach* Ashley Turner (www.AshleyTurner.org).

CARTA A MIS EMOCIONES NEGATIVAS:

....

....

....

....

....

....

....

....

....

....

....

....

....

....

....

Una pizarra limpia cada mañana

¿Qué emociones pesan más cuando despiertas cada mañana? Si las apuntases en una pizarra, ¿qué escribirías?

Tenemos unos cincuenta mil pensamientos cada día. Muchos de ellos son negativos, los apuntamos en la pizarra de nuestra mente en algún momento y allí se quedan... Aunque en principio nadie te obliga a guardar el recuerdo de estas emociones negativas en tu pizarra mental, para protegerte, tu cerebro programado para sobrevivir prefiere memorizarlas.

LA RUTINA: Cada mañana puedes limpiar tu pizarra, es decir, descartar conscientemente algunas de las emociones negativas acumuladas. Antes de levantarte de la cama, apunta tres o cuatro emociones que te están ocupando ahora mismo. A continuación, tacha las negativas.

Una estrategia para los pensamientos obsesivos[60]

¿Tiendes a revivir una y otra vez las situaciones negativas que te han ocurrido? Es lo que se llama «rumiar», y significa que tu mente repite una y otra vez las secuencias de las situaciones que le han dolido, sea una ruptura, un fracaso en el trabajo... Incluso cuando el día ha sido bueno, tendemos a centrarnos en aquello que no ha ido tan bien, como cuando el jefe nos ha criticado delante de los colegas.

Aunque reflexionar acerca de experiencias desagradables puede ser bueno si con ello aprendemos a resolver problemas o tomar buenas decisiones, rumiar es otra cosa. Rumiar no suele ofrecer nuevas perspectivas sobre un problema, y más bien intensifica las emociones negativas. En vez de poner la situación en perspectiva, cuando rumias cierras el foco en lo negativo.

Si algo te está haciendo rumiar obsesivamente, no suele ser de mucha ayuda que te digan que lo olvides. Más bien, aprende a preocuparte de una forma más eficiente. ¡Aquí tienes cómo hacerlo!

LA RUTINA: Elige un momento del día en que puedas dedicarte a meditar de forma ininterrumpida entre quince y veinte minutos. Podría ser la ducha de la mañana, o el tiempo que pasas en el autobús camino del trabajo... Para no pasarte con el tiempo, pon un cronómetro. La única hora que no funciona bien para rumiar es por la noche, antes de dormir.

Cuando llegue el momento de rumiar, cierra los ojos e imagina que sacas de un cajón tu preocupación. Abre los ojos y empieza a preocuparte, a darle vueltas al tema. Si te ayuda, dibuja o apunta tus pensamientos en un papel. ¡No te cortes! Preocúpate a fondo. Pero al final del tiempo prescrito (entre quince y veinte minutos), ¡para!

Cierra los ojos de nuevo e imagina que vuelves a poner tu preocupación en el cajón, y que no lo volverás a abrir hasta el día siguiente.
Abre los ojos y sigue con tu día.

---

[60] Adaptado de la psicóloga Lauren Feiner.

Acepta

A veces darle vueltas a las cosas incesantemente es el resultado de no aceptar la realidad. Pero la aceptación puede ser una forma muy poderosa y resolutiva de enfrentarte a las situaciones difíciles.

LA RUTINA: Haz esta prueba hoy: acepta que eso que te duele o te molesta es injusto, o que no tiene sentido... pero déjalo, sonríele al caos del universo. Piensa qué pasaría en tu vida si aceptases por fin esa situación. Apunta los pros y los contras de hacerlo.

LO QUE ME MOLESTA ES:

....

....

SI LO ACEPTO, ESTOS SON LOS PROS:

....

....

Y LOS CONTRAS SON:

....

....

«ME GUSTARÍA MUCHO TENER ESE ÉXITO, ESA APROBACIÓN O ESE PLACER..., PERO AHORA MISMO NO LO TENGO. NO NECESITO ABSOLUTAMENTE TENERLO, NO VOY A MORIR SIN ELLO, Y PUEDO SENTIRME BIEN (AUNQUE NO TAN BIEN) SIN ESO.»

ANÓNIMO

Controla tu frustración[61]

Sentimos frustración cuando algo nos impide llevar a cabo nuestras metas personales o sueños. ¡No podemos controlarlos! Eso molesta mucho, porque sabemos que las personas tienden a sentirse felices en proporción al control que tienen sobre sus vidas. Así que si quieres aliviar tu frustración, aprende a controlar más tu frustración.

LA RUTINA:

1 Calma tu mente centrándote en el presente, en el ahora. Te puede ayudar a conseguir esto centrarte en tu respiración, y también fijarte en lo que te rodea: el sol que se está poniendo, los niños jugando en la calle, el tacto de un jersey agradable, las voces de la gente que pasea, el calor del sol en la piel... Haz esto un par de minutos para llevar tu atención al presente.

2 Aprecia lo que tienes. A menudo dejamos que pesen los problemas y prestamos poca atención a las cosas buenas que tenemos, que el cerebro da por «normales», pero que en realidad son benéficas, como no tener hambre, tener un hogar confortable, agua potable, acceso a internet, amigos o familiares... Dedica un par de minutos a sentir agradecimiento por lo que tienes ahora.

3 Tu mente está más tranquila y positiva, y tienes una perspectiva más amplia. Ahora es el momento de pensar en eso que te frustra, y en decidir qué pequeño paso puedes dar para mejorar esa frustración.

¿QUÉ PEQUEÑO PASO PUEDO DAR PARA MEJORAR ESTA SITUACIÓN?

....

....

[61] Adaptado de la psicóloga Lauren Feiner.

El alivio de llorar [62]

Las lágrimas son agua salada, como el mar. Lubrican los ojos, despejan partículas irritantes, reducen las hormonas del estrés y contienen anticuerpos que luchan contra microbios patógenos. Después de llorar, la respiración se calma, el corazón late más despacio. Llorar genera endorfinas, que nos hacen sentir mejor. En definitiva: las lágrimas ayudan a conseguir un estado biológico y emocional más tranquilo. Nos ayudan a sentirnos un poco mejor.

Los niños y niñas lloran con la misma frecuencia hasta los doce años. Después, por razones culturales, los hombres lloran de media siete veces al año, frente a las cuarenta y siete veces de las mujeres. Una de las consecuencias de esta represión es que no solo se reprimen las lágrimas, sino que las emociones también se reprimen. Por ello, el psiquiatra británico Henry Maudsley dice que «el dolor que no expresamos con lágrimas hace llorar a otros órganos del cuerpo».

Ello lleva a concluir que llorar es, en determinados momentos, positivo. Por ello, aprende a llorar de nuevo.

LA RUTINA: Piensa con intensidad en lo que te pone triste. En vez de dejar que la mente se vaya a otros temas, sumérgete en tus pensamientos tristes. Dedícales toda tu atención.

▶ Si te cuesta expresar tus emociones tristes, imagina que eres un niño. Recuerda lo fácil que era mostrar tus emociones entonces, cuando llorabas porque un día divertido se había acabado, o cuando te caías de la bici y te arañabas la rodilla. Lo que te hace llorar ahora es sin duda diferente a lo que te hacía llorar antes, pero esto te ayudará a recuperar el sentimiento de libertad emocional.

▶ Piensa también en cómo tratas a tus amigos cuando lloran. Probablemente les abrazas, les consuelas. Trátate con la misma compasión y cariño.

UN EPISODIO DE LÁGRIMAS SUELE DURAR EN TORNO A LOS SEIS MINUTOS.

[62] Adaptado del artículo de Judith Orloff, «*The health benefits of tears*»: http://www.drjudithorloff.com/Free-Articles/The-Health-Benefits-of-Tears_copy.htm.

ALGUNAS REFLEXIONES SOBRE LO QUE SIGNIFICA PERDONAR:

El psicólogo Robert Enright y sus colegas han comprobado que uno de los obstáculos más corrientes a la hora de perdonar es una idea equivocada de lo que es el perdón.

◗ *Para perdonar, no hace falta olvidar o quitar importancia a la ofensa, renunciar a la justicia legal o reprimir sentimientos de dolor frente a la ofensa.*

◗ *Para perdonar, no hace falta que quien ofendió admita que lo ha hecho, que pida perdón o que quiera cambiar de actitud.*

◗ *Para perdonar, no hace falta —y a veces sería muy inapropiado— que haya reconciliación (eso implica una confianza mutua que podría ser poco aconsejable).*

◗ *Para perdonar, no hace falta decírselo a la persona perdonada (tal vez ellos ni siquiera quieran que se les perdone).*

◗ *Perdonar no implica que apruebas lo que ha hecho el otro. No justifica su comportamiento.*

◗ *Puedes perdonar sin olvidar.*

◗ *Perdonas, ante todo y en primer lugar, porque es mejor para ti.*

Perdonar es dejar ir aquello que te sigue haciendo vulnerable a los demás.

Si encuentras mucha resistencia interna a la palabra «perdonar», John W. James y Russell Friedman, en su libro The Grief Recovery Handbook, *sugieren que pruebes con esta frase: «Sé lo que has hecho que me ha hecho daño... y no voy a dejar que me haga más daño».*

Cómo perdonar y cuidar a unos padres que nos cuidaron mal[63]

Esta es una pregunta que me han hecho algunos lectores, y que me resulta muy conmovedora. Lo cierto es que, al margen de los casos de abusos o negligencias graves, que deberían ser tratados por profesionales, muchos adultos llevan consigo las heridas de una infancia más o menos dolorosa. Los descuidos, torpezas, negligencias afectan profundamente la vida y el desarrollo de un niño: es difícil volver a confiar en el resto del mundo cuando tus propios padres te han hecho daño, aunque haya sido de forma pasiva.

¿QUÉ PUEDES HACER PARA MEJORAR ESTA SITUACIÓN? La trabajadora social LuAnn Smith sugiere que tenemos tres opciones frente a padres que no nos cuidaron bien:

▶ dejar que tus padres sigan teniendo el poder y el control sobre ti, sobre tus acciones y emociones, es decir, seguir atascado en el dolor de un problema sin resolver;

▶ alejarse completamente de ellos, lo cual deja un vacío grande y un problema sin resolver en la psique de una persona;

▶ o bien, enfrentarse al resentimiento y al dolor y, si se puede, llegar a perdonar, poner nuevos límites que te protegen en la relación y seguir con tu vida.

Lo que los estudios muestran sin lugar a dudas es que las personas que son capaces de perdonar son más felices y están más sanas que las personas que no logran perdonar. ¿Por qué es tan importante el perdón? Una de las razones es que **cuesta más trabajo, y desgasta más en cuerpo y mente, agarrarse al resentimiento que dejarlo ir**. Pero aunque esto es absolutamente cierto, perdonar y dejar ir lo que nos ha hecho daño es uno de los mayores retos a los que nos enfrentamos... **Cuando alguien perdona, esencialmente renuncia a la ira a la que tiene derecho y hace un regalo a alguien que no tiene derecho a exigirlo. A cambio, se libera de algo que le hace mucho daño.**

¿Quieres investigar la posibilidad de perdonar? Desde un punto de vista psicológico, el perdón puede analizarse como un proceso. Aquí sugerimos algunos posibles pasos en este proceso.

[63] Adaptado de Marlo Solitto, de www.agingcare.com.

LA RUTINA:

Admitir que te han herido. Cuando perdonas, el primer paso es aceptar la realidad de lo que ha ocurrido. Las personas a menudo intentamos negar que nos han herido. Negarlo, sin embargo, te aprisiona en el dolor.

Reconocer que la ofensa te ha cambiado. La negligencia o el dolor que te han causado tus padres te ha cambiado de alguna manera. Apunta esos cambios en un papel (aquí, o en otro sitio si lo prefieres y necesitas más espacio).

....

....

....

....

Considerar si alguno de estos cambios ha sido positivo. Tal vez todos los cambios que ha provocado la mala experiencia con tus padres no han sido negativos. ¿Crees que alguna parte de tu experiencia te ha cambiado a mejor? Por ejemplo, ¿te ha ayudado a ser una persona más compasiva o más fuerte?

....

....

....

....

Intentar juzgar la situación desde otra perspectiva. Si lo intentas, tal vez te facilite perdonar a esa persona. Tal vez tu padre te abandonó porque te tuvo cuando era demasiado joven. Tal vez tu madre tenía una depresión que nunca le diagnosticaron. Tal vez puedas hablar con un familiar o amigo que os conocía en aquella época y que pueda darte información relevante en este sentido.

....

....

....

....

Primero, comprender racionalmente. Luego, intentar sentir compasión por quien te hizo daño. La experiencia clínica muestra que lo lógico es primero lograr pensar de forma diferente respecto a quien nos ha hecho daño, y que solo entonces podemos cambiar en alguna medida lo que sentimos hacia esa persona. Recuerda que perdonar no significa que olvides lo que ha pasado, ni que excuses a la persona que te ha hecho daño.

....

....

....

....

Pedir ayuda. Si haces un trabajo interior para perdonar, si puedes pide ayuda, pero incluso si no te ves capaz de cuidar personalmente a la persona que te hizo daño no te lo reproches. Encuentra la manera de que esa persona esté en buenas manos, sin tener que ocuparte personalmente.

....

....

....

....

Una estrategia para evitar sentirse ofendido

Dice el psicólogo y escritor Wayne W. Dyer: «Cuando vives a un nivel básico de conciencia, pasas mucho tiempo y dedicas mucha energía a encontrar oportunidades para sentirte ofendido. Una noticia en internet, un extraño maleducado o agresivo, alguien que dice algo desagradable, un estornudo, una nube negra..., cualquier cosa vale cuando estamos buscando una oportunidad para sentirnos ofendidos».

LA RUTINA: Hoy, practica ser una persona que se niega a sentirse ofendida por nada. Cuando algo te enfada, frustra u ofende, ¡Ignóralo! ¡Date ese lujo! ¿Por qué? Porque cuando te niegas a sentirte ofendido, estás diciendo: «Yo controlo cómo me siento, y elijo sentirme en paz pase lo que pase». ¡Compruébalo y disfruta de ese bienestar!

La caja de las expectativas

Uno de los indicadores más positivos para una vida feliz es saber controlar las expectativas.

LA RUTINA: Imagina una caja en tu cabeza con la etiqueta «EXPECTATIVAS». Cuando sientas la tentación de lamentarte por las cosas que «podían que haber sido» o que «debían haber sido», métalas mentalmente en esa caja.
Si te cuesta imaginar, dibuja la caja y escribe dentro las expectativas que te están haciendo daño.

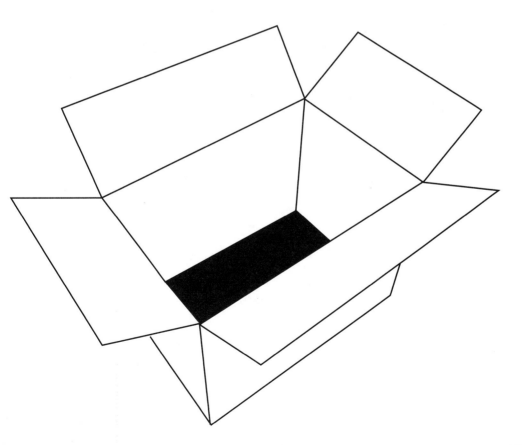

OLVIDA LO QUE
TE HIRIÓ EN EL
PASADO...
PERO NUNCA
OLVIDES LO QUE
ESA HERIDA
TE ENSEÑÓ.

RUTINAS EXPRÉS PARA SER MÁS FUERTES, MÁS LIBRES

«Serás libre», decía el poeta Khalil Gibran, «no cuando tus días no tengan preocupaciones ni tus noches penas o necesidades, sino cuando todo ello aprisione tu vida y sin embargo tú logres sobrevolar, desnudo y sin ataduras».

Lo que se trae a la consciencia puede curarse o desaprenderse. En cambio, lo que se queda en las tinieblas del inconsciente o de la ignorancia nos ata sin remedio, nos limita y debilita. No hay peor cárcel que la que construimos para nosotros mismos con nuestros prejuicios y miedos.

Con estas rutinas, podrás cuestionar y empezar a transformar esos hábitos tozudos y reflejos inconscientes que te hacen menos libre, menos fuerte.

Libérate

La mayor parte de nuestras ataduras son emocionales, no físicas. No hay peor cárcel que la que creamos para nosotros mismos vinculándonos a emociones y relaciones que nos dañan. Para ayudarte a liberarte de una persona con la que necesitas tomar distancia, tanto si está viva como si no, puedes poner en práctica esta rutina, que puede resultar emocionalmente muy liberadora, aunque puede costar esfuerzo. Así que no tengas prisa, date tiempo y repítela si sientes que necesitas hacerlo.

LA RUTINA: Asegúrate de que estás en un lugar donde nadie te va a interrumpir durante largo rato. Cierra los ojos y respira varias veces, profundamente. Llama mentalmente a la persona de la que quieres tomar distancia. Imagina que está sentada frente a ti, a la distancia que te resulte más cómoda. Mírala e imagina qué aspecto tiene. Imagina ahora que estás unido a la otra persona por una cuerda o algo similar. Imagina que tomas unas tijeras y cortas o deshaces lo que os une. Hazlo sin prisa, mira cómo deshaces ese nudo. Díle a la otra persona que la perdonas, que le deseas lo mejor, y que sois libres el uno del otro, que ya no estáis atados.

Fracasa de nuevo, fracasa mejor

Esta es una frase del dramaturgo Samuel Beckett que ilustra lo común que es el fracaso y la importancia de aprender a tolerarlo y superarlo una y otra vez. Para ello, ejercita tu capacidad para afrontarlo con método mediante esta rutina.

LA RUTINA: Piensa en el peor escenario posible: en algunos casos, el peor escenario posible podría ser un completo desastre, de forma que tener miedo al fracaso sería totalmente racional. Pero en otros casos, el peor escenario posible podría no ser tan malo, y darte cuenta de eso puede serte de ayuda.

LO PEOR QUE ME PODRÍA PASAR SI FRACASO ES...

....

Ten un plan B: Si tienes miedo de fracasar en algo, tener un «plan b» puede ayudarte a tener más confianza para avanzar.

MI PLAN B

....

....

....

....

....

....

La psicóloga de la universidad de Stanford Carol Dweck sugiere que frente al fracaso hay dos enfoques básicos: el enfoque FIJO, de quienes creen que sus habilidades son innatas, y el enfoque INCREMENTAL (o de crecimi-neto), de quienes piensan que su talento florece gracias a los retos y al esfuerzo. ¿Qué crees tú?

Las personas que tienen un enfoque fijo se enfrentan a los retos como ocasiones para mostrar sus talentos inna-tos, así que el fracaso significa para ellos que no están a la altura e intentan evitarlo a toda costa.

Las personas con un enfoque incremental consideran que sus habilidades se fortalecen gracias a los retos, así que tienen una percepción muy distinta del fracaso: el fracaso es la confirmación de que se están esforzando por conocer sus límites actuales. ¡Por eso fracasan! Es una experiencia análoga a entrenarse con pesas: tus músculos crecen porque los entrenas más allá de sus ca-pacidades presentes. Quienes levantan pesas no piensan que entrenarse hasta fracasar sea un error, sino una es-trategia. Utilizan el fracaso para fortalecerse y mejorar.

Afortunadamente, los estudios de Dweck muestran que podemos elegir y modular nuestro enfoque. Algunas per-sonas lo consiguen simplemente descubriendo que exis-te esta diferencia en la forma de enfrentarse al fracaso.

DOS FORMAS DE ENFRENTARSE AL FRACASO

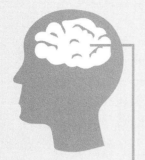 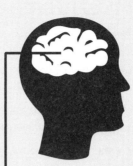

ENFOQUE FIJO:

La inteligencia es estática.
Esto conduce al deseo de parecer inteligente y,
por lo tanto, a una tendencia a...

ENFOQUE INCREMENTAL (O DE CRECIMIENTO):

La inteligencia se puede desarrollar.
Esto conduce al deseo de aprender y, por lo tanto,
a una tendencia a...

DESAFÍOS   ... evitar los desafíos   ... abrazar los desafíos   **DESAFÍOS**

OBSTÁCULOS   ... rendirse fácilmente   ... persistir ante los contratiempos   **OBSTÁCULOS**

ESFUERZO   ... percibir el esfuerzo como algo improductivo, o incluso peor   ... percibir el esfuerzo como el camino para convertirse en expertos   **ESFUERZO**

CRÍTICA   ... ignorar el *feedback* negativo que puede resultarnos útil   ... aprender de la crítica   **CRÍTICA**

EL ÉXITO DE OTROS   ... sentirse amenazado por los éxitos de los demás   ... extraer lecciones del éxito de los demás y encontrar inspiración en ellos   **EL ÉXITO DE OTROS**

Como resultado, las personas con enfoque fijo pueden estancarse pronto y no alcanzar su pleno potencial.

Todo esto confirma una visión determinista del mundo.

Como resultado, las personas con enfoque incremental pueden alcanzar logros cada vez mayores.

Todo esto les confiere una gran sensación de libertad personal.

¡Todavía no lo he conseguido!

La próxima vez que tengas un fracaso, que te salga mal un examen, que suspendas el carné de conducir o que no sepas manejar una situación social o un conflicto... recuerda que esto te pasa sencillamente porque estás al límite de tus habilidades actuales. ¡Puedes mejorar estas habilidades!

LA RUTINA: Un truco útil cambiar cómo te hablas a ti mismo: no digas «no puedo», sino «todavía no puedo», «todavía no lo he conseguido». ¡Los estudios muestran que esto te ayudará a no perder confianza en tu capacidad de lograrlo!

Planifica

¿Te agobias pensando en todo lo que te queda por hacer? Lucha contra pensamientos que te crean ansiedad con una sencilla preparación el día anterior, que te ayude a ganar tiempo al día siguiente. En lugar de pasar diez minutos cada mañana buscando tus llaves, desarrolla el hábito de organizarte el día anterior: deja las llaves en el mismo sitio, prepara tu ropa, organiza tu bolsa de gimnasia y haz la comida la noche anterior.

LA RUTINA: Piensa qué suele agobiarte por las mañanas y apúntalo aquí. Busca si existe un antídoto para cada uno de esos agobios y, si lo hay, llévalo a cabo.

COSAS QUE ME AGOBIAN POR LA MAÑANA

ANTÍDOTO

Controla la envidia

Uno de los rasgos más habituales cuando una persona tiene éxito es que reciba muchas críticas por ello. Y normalmente, ¡ese es un efecto del éxito que nadie se espera! ¿Por qué hay personas que odian a quien las cosas le van bien? ¿Por qué sentimos envidia?

La envidia es un mecanismo evolutivo que te dice: «¡Despierta! ¡Ponte en marcha! ¡Compite! ¡No te quedes atrás!». A la naturaleza le ha interesado hacernos un poco envidiosos para estimularnos. Pero, ojo, porque cuando sientes mucha envidia se activan nodos de dolor físico en tu cerebro. ¡La envidia duele! En cambio, cuando un envidioso se entera de que a la persona que envidia le va mal, se le activan los centros de recompensa del cerebro. Y eso le alivia el dolor que siente, aunque solo sea momentáneamente...

Los estudios revelan que cuanta menos autoestima tienes, más posibilidades hay de que sientas mucha envidia: por una parte, alivias tu frustración centrando tu energía en odiar al otro y, por otra parte, puedes justificar que el éxito del otro «no es para tanto» o «no es merecido».

¿QUÉ PUEDO HACER FRENTE A LA ENVIDIA?

Si eres el blanco de la envidia de alguna persona (o de muchas), es porque creen que tienes algo que ellos no tienen. Inspira a los demás si puedes. Muéstrales qué cosas son posibles. Sé compasivo y generoso, dales esperanza y estrategias útiles para que ellos puedan conseguir sus metas. Pero ¿y si no puedes ayudarles? Entonces relájate y aléjate. No puedes luchar contra esa parte oscura de la naturaleza humana.

Si eres tú el que sientes envidia, y quieres superarlo, piensa esto: hay lugar para el éxito de todos en este mundo. ¡Hay tanto por hacer y la vida es tan corta! La envidia es natural, pero consume tiempo y energía. Transforma esa envidia en algo constructivo para ti y para los demás: ponte manos a la obra para definir lo que es el éxito para ti y lograr tus propias metas.

LA RUTINA: ¿Qué es para ti el éxito? ¿Ser rico y vivir en una casa grande? ¿Ayudar a los demás? ¿Formar parte activa de tu comunidad? ¿Trabajar en una organización específica? Solo tú puedes definir y llevar a la práctica lo que es importante en tu vida.

EL ÉXITO PARA MÍ ES...

ESCRÍBELO:

DIBÚJALO:

Un modelo
para el cambio

¿Estás enfrentándote a algún cambio? ¿Eres infeliz con tu vida tal y como la tienes planteada ahora mismo? Emily Kadi, especialista en terapia holística, te propone este modelo para ayudarte a identificar lo que de verdad quieres. Con una meta global más clara en mente, es mucho más fácil planificar acciones y decisiones que te ayuden a conseguir esa meta.

LA RUTINA: El modelo de Kadi es una síntesis personal de la autora en base a varias corrientes de psicología, como la cognitiva-emocional y la transpersonal. Consiste en ocho preguntas. Puedes empezar a constestar en cualquier parte de la secuencia. No tengas prisa, y deja que el modelo te ayude a expresar tus pensamientos, creencias, acciones y valores.

A modo de ejemplo, Kadi te ofrece la experiencia de una mujer que se estaba recuperando de un trauma y que definía su meta global como «sentirme bien».

1. ¿QUÉ QUIERO?

Quiero estar bien.

....

2. ¿QUÉ ES LO QUE ESTOY DISPUESTA/O A HACER O SENTIR PARA LOGRAR ESTO?

Estoy dispuesto a identificar, experimentar y expresar mis sentimientos de forma sana.

....

3. ¿QUÉ ES LO QUE NO ESTOY DISPUESTO/A A HACER?

Ya no estoy dispuesta a reprimir mis sentimientos.

....

....

4. ¿QUÉ ES NEGOCIABLE?

Estoy dispuesta/o a hacer esto en un entorno seguro, antes de intentarlo con mi familia. Estoy dispuesto/a a confiar en este grupo de apoyo. No estoy dispuesto/a a contar todos los detalles de mi vida al grupo, de momento.

....

....

5. HASTA AHORA, YO CREÍA QUE...

Había algo malo dentro de mí porque sentía ira, y odio, y vergüenza, y también creía que no tenía derecho a ser feliz.

....

....

6. AHORA SÉ QUE LA VERDAD ES QUE...

Todos los sentimientos son válidos, y forman parte del ser humano. Es sano experimentarlos y expresarlos.

....

....

7. ESTOY DISPUESTO/A A CONSIDERAR LA POSIBILIDAD DE SENTIR, PENSAR, HACER Y CREER ALGO DIFERENTE, A TOMAR DECISIONES NUEVAS PARA MÍ, A TENER OTRA PERSPECTIVA. Y ME REFIERO A...

Tal vez sea bueno que yo tenga sentimientos. No soy mala/o por ello. Yo era una buena persona, en una situación mala.

....

....

Desidentifícate[64]

Solemos identificarnos con todo lo que nos pasa y con todo lo que sentimos. Esto puede crear sensación de inestabilidad, de depender siempre de fuera, de no tener un lugar pacífico en el que refugiarse. Esta estrategia te ayudará a no identificarte con las actividades y eventos de tu vida diaria. Se trata de ir más allá de los pensamientos diarios, y centrarse en ser, en lugar de pensar.

LA RUTINA: Imagina que estás en tu salón, y que te fijas en los muebles: el sofá, el televisor, la mesita... Eres consciente de que ves el mobiliario, pero no te identificas con ningún objeto. Estás presente, aunque mantienes una distancia.

Utiliza exactamente la misma técnica con tus pensamientos. Observa tus pensamientos y sentimientos, ve cómo cruzan tu mente, pero no los juzgues ni te identifiques con ellos. ¡Tus pensamientos no te definen! Tú solo eres consciente de ellos. Puedes prestarles muy poca atención si así lo decides. Si te entrenas así regularmente, te será cada vez más fácil guardar distancia con los pensamientos y emociones que te habitan, y que no siempre resultan ni relevantes ni interesantes para ti.

[64] Adaptado de Payam Ghassemlou, MFT, Ph.D.

«SÉ SIEMPRE TÚ MISMO, A MENOS QUE PUEDAS SER UN UNICORNIO. EN ESE CASO, SÉ SIEMPRE UN UNICORNIO.»

ANÓNIMO

Hoy, reacciona diferente

Si siempre hacemos lo mismo, pensamos lo mismo y vemos a las mismas personas... consolidamos nuestros patrones mentales y ¡nada cambia en nuestra vida! Hoy vamos a entrenarnos para desactivar nuestros patrones mentales fijos, es decir, cambiar nuestras reacciones diarias, con una técnica sencilla del conocido médico y escritor Deepak Chopra.

LA RUTINA: Elige cualquier situación determinada que te crea tensión, por ejemplo, cuando te enfadas con alguien...

....

Ante esa situación determinada que hayas elegido, piensa qué cosas automáticas vas hacer por impulso, por costumbre..., eso que haces siempre, eso que «no puedo evitar». Esta es tu programación.

....

Y AHORA PREGÚNTATE:

FRENTE A ESA SITUACIÓN NEGATIVA, SIENTO...

☐ Enfado (es decir, sientes hostilidad física, agredes al que te enfada o hierves por dentro).

☐ Ansiedad (tu reacción es más bien preocuparte y dar por sentado que va a pasar lo peor).

CUANDO LLEGA EL MOMENTO DE ACTUAR, SUELO SER...

☐ Líder (tomas la iniciativa)
☐ Seguidor (obedeces, acatas lo que te dicen...)

SI ALGUIEN HACE ALGO QUE NO ME GUSTA, SUELO...

☐ Enfrentarme
☐ Retirarme

ANTE UN DESAFÍO IMPORTANTE, PREFIERO...

☐ FORMAR PARTE DE UN GRUPO
☐ IR SOLO

Y ahora toma distancia. Mírate en conjunto. Tu forma de reaccionar frente a la vida suele ser:

¿DEPENDIENTE? ¿Dejas que los demás tomen las grandes decisiones? ¿No sueles decir lo que te parece o lo que de verdad quieres hacer?

¿CONTROLADOR? ¿Eres exigente con los detalles? ¿Quieres que los demás vivan de acuerdo con tus principios? ¿Te llaman perfeccionista muchas veces? ¿Te resulta fácil decir a los otros lo que tienen que hacer?

¿COMPETITIVO? ¿Tienes siempre presente quién gana y quién pierde? ¿Haces lo que haga falta para ser el primero? ¿Te ves a ti mismo como un líder y a los demás como seguidores?

En cualquier situación, tómate un momento para dejar de hacer lo que te sale automáticamente. Solo así podrás cambiar tus reacciones de modo consciente y conseguir que estén más adaptadas a lo que necesitas. Al dar ese paso atrás, vas a permitir que surja una respuesta más flexible... Si no lo haces, solo tendrás la misma respuesta de siempre: la ira o la ansiedad, dirigir u obedecer, ganar o perder.

La vida se renueva constantemente, y no se puede reaccionar a ella con respuestas condicionadas, programadas. Si la vida se renueva, renueva tú también tus reacciones.

Y ahora sí: ¿estás preparado para contestar?

MI FORMA DE REACCIONAR SUELE SER:

....

....

....

....

....

Cómo librarte de un mal hábito

¿Estás harto de una mala costumbre o hábito que no te hace ningún bien? ¿Quisieras cambiarlo pero no sabes exactamente cómo? Pues hoy vamos a ver los pasos que te ayudarán a cambiar tus malos hábitos.

¿Sabías que casi la mitad de las cosas que haces a diario las haces automáticamente, sin cuestionarlas? Son hábitos, rutinas que hacemos en piloto automático. Algunas de estas cosas son buenas para ti, como lavarte los dientes después de comer o dormir por las noches... Pero otros hábitos son perjudiciales, y tal vez te gustaría cambiarlos. Por ello hemos preparado hoy los pasos más claros y útiles para cambiar los malos hábitos que te sobran.

LA RUTINA: Vamos a ver qué cosas no nos ayudan a la hora de cambiar un hábito perjudicial. Ni te molestes en decir eso de: «**NUNCA VOLVERÉ A HACER ESTO**». Si lo dices, los estudios demuestran que lo más probable es que vuelvas a hacerlo...

Así que, primero, piensa en un hábito que tienes con el que no te sientes cómodo, el que sea: fumar, comer comida basura cuando miras la televisión, no hacer ejercicio, morderte las uñas...

Los hábitos viven confortables en nuestro entorno habitual, allí pasan cosas que nos empujan a repetir ese hábito. ¿Cómo puedes cambiar un mal hábito?

1 SER CONSCIENTE DE CUÁL ES TU HÁBITO es el primer paso, así que fíjate conscientemente en cada vez que lo haces. Si te ayuda, apúntalo en una libreta durante unos días.

2 El segundo paso es **DESCUBRIR LO QUE DISPARA TU HÁBITO**. Por ejemplo, si quieres dejar de morderte las uñas, fíjate en cuándo te muerdes las uñas... ¿Es cuando estás estresado? ¿Antes de un examen? ¿Cuando vas a comer el domingo con tus suegros? ¿Cuando quedas con amigos? ¿Cuándo caes en ese hábito? Utiliza tu libreta si te ayuda a identificar esas situaciones.

3 Y, por último, solo queda **REEMPLAZAR EL HÁBITO MALO POR OTRO BUENO**. Me explico: librarse de un hábito es difícil. Pero librarse de un hábito reemplazándolo por otro hábito es mucho menos difícil. Por lo tanto piensa: si me muerdo las uñas cuando estoy nervioso, ¿qué podría hacer cuando estoy nervioso que no me haga daño? Por ejemplo, ¿podrías salir a correr? ¿Podrías respirar hondo? ¿Podrías estrujar una pelota? ¿Qué podría hacer para reemplazar mi hábito malo por un hábito que no me haga daño? Esto se llama el «si-entonces». «Si... siento la tentación de fumar, o de comer chuches, o de morderme las uñas... entonces haré...»

Tardarás unos dos meses en deshacer un hábito (es lo que tarda el cerebro en aprender nuevas costumbres).

HAY DOS TRUCOS QUE PUEDEN AYUDARTE:

▶ Cada vez que reemplaces un hábito malo por un hábito bueno, recompénsate. El hábito malo te da una recompensa a corto plazo, ¿verdad? Cuando te muerdes las uñas, te relajas... Pues asegúrate de que tu nuevo hábito también te da una recompensa.

▶ Cambia tus hábitos poco a poco, sin prisa. Reduce un mal hábito de forma gradual hasta que logres reemplazarlo por tu hábito elegido.

Los cinco porqués
* Adaptada de Martha Beck

Toyota tiene un sistema para mejorar los sistemas de trabajo que denominan «los cinco porqués», y que podemos extrapolar a nuestra propia vida. Consiste en preguntar «por qué» tantas veces como sea necesario para mejorar algo. Cuando sabes qué sientes, puedes preguntarte: ¿por qué? Es una forma directa y práctica de encontrar soluciones.

LA RUTINA:

¿Cómo me siento? (por ejemplo: nervioso, irritable, hipersensible...)

....

¿Por qué? (por ejemplo: ¿por qué tomo mucho café por las mañanas?)

....

¿Por qué? (por ejemplo: ¿Por qué me cuesta mucho levantarme?)

....

¿Por qué? (por ejemplo: ¿Por qué el niño del vecino se pasa la noche llorando?)

....

¡Aha! Y ahora ya puedes dejar de preguntar por qué y buscar una solución al problema. Ya puedes dejar de enfadarte con el mundo entero porque estás cansado y nervioso. Habla con tus vecinos, cambia de casa, cambia de dormitorio, pon aislante en la pared...

«UN OBJETIVO SIN UN PLAN ES SOLAMENTE UN DESEO.»

ANTOINE DE SAINT-EXUPÉRY

AUNQUE EL PENSA-
MIENTO POSITIVO ES
FUNDAMENTAL, NO ES
SUFICIENTE. PARA LA
MAYORÍA, PASAR
TIEMPO SOÑANDO CON
LO BIEN QUE NOS
PODRÍA IR ES
CONTRAPRODUCENTE,
PORQUE REDUCE
NUESTRA MOTIVACIÓN
PARA HACER ESAS
COSAS. POR ELLO,
CADA SUEÑO DEBE IR
ACOMPAÑADO DE UNA
ESTRATEGIA Y ACCIÓN
CONCRETAS.

RUTINAS EXPRÉS PARA UNA MENTE OPTIMISTA

Solemos crecer dedicando tiempo y energía a cultivar el bienestar y la felicidad... ¡externas! Gestos que provocan una gratificación inmediata que no dura, y que no depende de nosotros.

No hemos aprendido a despertar sentimientos de bienestar internos. Pero las últimas décadas de investigación en psicología positiva nos han enseñado que podemos elegir en buena medida cómo nos sentimos. ¡Basta con practicar los hábitos y los pensamientos adecuados! Elige el bienestar.

Saludo al Sol

Una excelente forma de empezar el día, que te relaja y te reconecta, es la práctica del yoga, tal como hemos ido viendo a lo largo de diferentes rutinas. El Saludo al Sol es una secuencia de doce posturas que nos ayudan a mantener en forma no solo la columna vertebral, sino también buena parte de nuestro equilibrio interior.

LA RUTINA: Busca un momento del día que te apetezca (¡a mi me encanta saludar el sol al despertar!) y ponte en pie, con los pies juntos y las manos unidas en el centro del pecho, en una actitud de saludo y respeto al sol. A continuación, inspira profundamente para iniciar la serie de doce movimientos, tal como se indica en la ilustración. Recuerda que es muy importante que respetes la secuencia de inhalaciones y exhalaciones que se indica.

1.   2.   3.   4.

5.   6.   7.   8.

9.   10.   11.   12.

¡HAZ UNA COMETA!

«LA NATURALEZA PRIMARIA DE TODO SER HUMANO ES ESTAR ABIERTO A LA VIDA Y AL AMOR. ESTAR EN GUARDIA, BLINDADO Y CERRADO, DESCONFIAR, ES UNA NATURALEZA DE SEGUNDO ORDEN EN NUESTRA CULTURA. ES LA FORMA QUE TENEMOS DE PROTEGERNOS DEL DOLOR, PERO, CUANDO ESTAS ACTITUDES SE CONVIERTEN EN UNA CARACTERÍSTICA O EN PARTE DE LA ESTRUCTURA DE LA PERSONALIDAD, SUPONEN UN DOLOR MÁS HONDO Y CREAN UNA HERIDA MUCHO MÁS SEVERA QUE LA SUFRIDA ORIGINALMENTE.»

ALEXANDER LOWEN

Cambia tu foco de atención[65]

¿Qué distingue a las personas que dicen ser «muy felices»? Que son buenas prestando ATENCIÓN a las cosas buenas que les pasan en la vida y, en cambio, no centran tanta atención en las cosas negativas que les ocurren.

El psicólogo Rick Hanson lo explica así: «Tu cerebro es como velcro para las experiencias negativas, y como teflón para las experiencias positivas».

Así que si crees que no eres tan feliz como podrías ser, cambia tu foco de atención. Deja de fijarte tanto en lo negativo. Fíjate más en lo positivo, por muy modesto que te parezca.

LA RUTINA: Si cambias tu foco de atención, es decir, si centras tu atención en algo diferente, cambiarás automáticamente tu emoción.

¿Por qué? Fisiológicamente, cuando nos invade una emoción negativa, nuestro cuerpo tarda en torno a unos noventa segundos en procesar las hormonas del estrés y recuperar su estado normal. Si al cabo de ese tiempo sigues pensando en lo que te entristece o enfada, repites el proceso fisiológico y te quedas atrapado en un círculo vicioso. Así que cuando tengas una emoción negativa, en cuanto sientas que disminuye, cambia el foco, haz algo diferente, por ejemplo, genera conscientemente un recuerdo alegre o mira una película divertida, y céntrate en eso.

---

[65] Rutina de Marianne Franke-Gricksch, maestra y referente mundial en el ámbito de la pedagogía.

Apunta diez cosas positivas

¿Te has fijado en que cuando te vas a dormir sueles recordar las cosas más difíciles o desagradables que te han pasado durante el día? No eres raro, ¡es que tienes un cerebro programado para sobrevivir, que tiende a memorizar y exagerar lo negativo!

Yo pongo en práctica esta rutina aquellos días cansinos en los que la percepción de lo negativo se convierte en algo irracional y exagerado.

LA RUTINA: Para entrenar tu cerebro en positivo, al terminar el día, cada noche durante dos semanas piensa en diez cosas positivas que te hayan ocurrido en las últimas horas. Muchas cosas buenas te habrán pasado desapercibidas, porque tu mente no las ha registrado como sabe registrar las cosas negativas... Apúntalas, crea una memoria especial en tu cerebro para las cosas positivas aunque no te parezcan extraordinarias, como un paseo con tu hijo o la belleza de un castaño en flor. Al cabo de unos días, notarás que esta rutina te cuesta cada vez menos, y es que estarás entrenando tu cerebro a ser más objetivo, a recuperar una percepción más equilibrada y certera de la realidad.

1 ....

2 ....

3 ....

4 ....

5 ....

6 ....

7 ....

8 ....

9 ....

10 ....

El jardín de la transformación

La visualización es una forma muy sencilla de favorecer estados de ánimo positivos que nutren químicamente el cerebro, relajan el cuerpo y permiten por unos momentos escapar de la rutina o la tensión diaria.

LA RUTINA: Instálate en un lugar cómodo donde no te interrumpan. Imagina que entras en un jardín, que puedes imaginar como más te guste. En este espacio natural, date permiso para transformarte en lo que te apetezca: en un poco de hierba que se balancea con la brisa, en trozos de granito inamovibles, en gigantes que corren por el jardín, en pájaros de colores que vuelan por encima de las nubes...

(Pega aquí o dibuja una imagen de un jardín que te inspire.)

¿Eres un maximizador o un optimizador?

A lo largo del día, nos enfrentamos a una infinidad de decisiones.[66] Pero ¿es bueno poder elegir todo el tiempo? En principio debería serlo. Sin embargo, fíjate en cómo reacciona tu cerebro cuando tiene que elegir: imagina que entras en una agencia de viajes y dudas entre ir a Paris, a Nueva York o a una casa rural en la sierra. Cada elección que hacemos, aunque sea decidir entre desayunar bocadillo o cruasán, implica una pérdida. Y cuando eliges, es tentador fijarte en todo lo que has perdido, en aquello que has dejado pasar. ¡Es un reflejo involuntario! Casi sin querer, te preguntarás: «¿Me habré equivocado?».

Esto puede resultar tan agobiante que algunas personas dudan y dudan, y retrasan la toma de decisiones. Eso tiene el peligro de que al final terminas dejándote llevar por las circunstancias, sin atreverte a tomar una decisión de verdad.

En general, tendemos a tomar decisiones de dos maneras diferentes: como un maximizador o como un optimizador. ¿Tú qué eres? ¡Vamos a descubrirlo!

LA RUTINA: ¿Y TÚ QUÉ ERES?

EL MAXIMIZADOR:

«QUIERO LO MEJOR EN TODO.»

Quieres el mejor compañero sentimental, el mejor trabajo, la mejor casa, los mejores hijos, el mejor coche, los mejores cereales para desayunar y, por supuesto, los mejores vaqueros. Y probablemente defines lo mejor en función de lo que la mayoría considera lo mejor: el trabajo mejor pagado, la mejor marca, lo más difícil de conseguir...

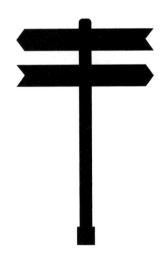

---

[66] El psicólogo Barry Schwartz reflexiona muy lúcidamente sobre la libertad de elección en: https://www.ted.com/talks/barry_schwartz_on_the_paradox_of_choice?language=es.

EL OPTIMIZADOR:

En cambio, si eres un optimizador, a la hora de elegir tu lema es:

«QUIERO ALGO LO SUFICIENTEMENTE BUENO.»

Da igual que tus aspiraciones sean elevadas o modestas, lo importante para ti es conseguir algo que encaje en tus necesidades concretas. ¿Quieres un coche familiar donde quepa tu bicicleta y que gaste poca gasolina? Cuando encuentres el modelo adecuado, dejarás de buscar y comparar, y disfrutarás con tu elección sin amargarte pensando que tal vez podías haber hecho una elección mejor...

¿Ya te va reconociendo en cómo tomas tus decisiones? Yo soy más bien maximizadora, es decir, perfeccionista y nunca satisfecha del todo.

Ojo a esto, porque los estudios muestran que los maximizadores nunca logramos acallar del todo la duda de si ese era, efectivamente, el mejor trabajo o la mejor pareja.... Y es que los maximizadores corren el peligro de sentir que nunca están donde deberían estar, que siempre hay algo más allí fuera que les espera, y que no terminan de encontrar... El coche perfecto que nunca llega... Por ello, los maximizadores, que siempre buscan la perfección, tienden, a pesar de sus logros, a estar menos satisfechos con sus vidas, menos a gusto con lo que tienen.

Pero eso tiene fácil arreglo: simplemente, no hay que decidir siempre como un maximizador. ¿CÓMO?

Aunque tiendas a ser un maximizador, todos actuamos como optimizadores en algunas decisiones de nuestra vida. Piensa en algún momento en el que has elegido algo y has sentido que ese algo SÍ ERA suficiente.

Ya te valía ese regalo, ese momento con tu hijo, esa casa de vacaciones... No pedías más. Recuerda y siente esa sensación, y piensa cómo podrías trasladarla a otros ámbitos de tu vida. Harás tuyo el lema de los optimizadores:

LA ABUNDANCIA NO ES TENER MUCHO, ES TENER SUFICIENTE.

Un truco para florecer

Los psicólogos hablan de que las personas «florecen» o «languidecen» en función de las emociones que las habitan. Las emociones no son un estado permanente. Vienen y van. No intentes agarrarte a ellas, más bien intenta tener mayor cantidad de emociones positivas, las que te hacen sentir bien, y para eso hay que conseguir un buen equilibrio entre emociones positivas y negativas. Porque cuando nos sentimos negativos, nos volvemos rígidos y muy predecibles. La vida se hace pesada, y nos sentimos menos vivos.

Las emociones positivas tienden en cambio a incluir, a dejar entrar sentimientos agradables en nuestras vidas. Eso es lo que ocurre cuando nos divertimos, o sentimos interés por algo, o nos maravillamos, nos sentimos inspirados, o agradecidos...

LA RUTINA: Para florecer, no seas rígido, tienes que ser un poco impredecible, hacer cosas inesperadas. Debes tener un comportamiento a veces inesperado para crecer, para transformarte. Nadie crece si hace lo mismo día tras día.

¡HOY VOY A HACER ALGO NUEVO!

....

....

....

....

«HE TENIDO
MUCHOS PROBLEMAS,
PERO LA MAYORÍA NUNCA
ME HAN PASADO.»

MARK TWAIN

Sé agua

Con el tiempo, tendemos a volvernos más rígidos, a tener más responsabilidades, a tener más opiniones... En vez de intentar dominar, practica hoy ser como el agua: fluye donde haya un pasaje, una apertura, una salida. Suaviza tus aristas siendo más tolerante con las opiniones contrarias. Interfiere menos, sustituye las órdenes por la escucha. Cuando alguien te dé su opinión, dile: «No lo había pensado, gracias por sugerirlo, lo pensaré».

LA RUTINA: Imagina que tienes las mismas cualidades que el agua. Permítete ser suave, flexible, adaptable, fluido, para entrar en lugares donde antes no podías porque eras sólido y duro. Fluye suavemente en las vidas de las personas con las que te cruzas hoy: imagina que puedes colarte en sus mentes para comprender mejor lo que sienten. Mantén todo el día esa sensación de ser agua y observa cómo cambia tu relación con los demás.

Envía emociones positivas

A los humanos nos resulta tentador juzgar, criticar y condenar. Son mecanismos que nos hacen sentir más seguros, más protegidos. Para contrarrestar esta tendencia, puedes entrenar otra faceta de tu psique, que necesita confiar y perdonar para sentirse en paz con el mundo.

LA RUTINA: Busca un lugar y un tiempo tranquilo para meditar. Imagina que acabas de tener una pelea o discusión. En vez de reaccionar con ira, ganas de vengarte o dolor, imagina que le ofreces a la parte que te ha ofendido compasión y serenidad. Observa qué cambia dentro de ti o en la forma de ver a esa persona.

Prueba la envidia suave

Como hemos visto en la rutina 155, los humanos estamos obsesionados con nuestro estatus social, con compararnos con los demás. Este reflejo innato tiene que ver con nuestro instinto de supervivencia: compararnos con los demás nos da la clave de que nos estamos quedando atrás, y de que somos más vulnerables. Cuando sentimos envidia, nos sentimos mal con nosotros mismos, porque es una forma de admitir que somos vulnerables, que nuestro estatus es bajo.

HAY TRES TIPOS DE ENVIDIA:

▶ La admiración: alguien tiene algo que te gusta, pero lo ves tan lejano a ti que no te afecta. La admiración no te duele, pero tampoco te motiva.

▶ La envidia mala. Deseas lo que tiene la otra persona, y sientes frustración e ira por ello. Eso te carcome por dentro y, además, si conoces a la persona que envidias ese sentimiento estropea tu relación con ella.

▶ La envidia suave. Es como la envidia mala pero con una diferencia: sabemos que si nos pusiésemos manos a la obra conseguiríamos eso que anhelamos y envidiamos... Y eso suele apaciguar los sentimientos malos que acompañan a la envidia. Además, sientes que si quisieras tener eso que envidias lo lograrías. ¡Es tu decisión! Esa sensación de control relaja mucho. La envidia suave se convierte en envidia sana.

Y esa envidia suave, sana, puede ser un gran motivador. Si sientes envidia, ¡intenta transformarla en envidia suave! ¿Cómo?

LA RUTINA: La próxima vez que sientas envidia, pregúntate: ¿es esto algo que yo podría conseguir también? ¡Y ponte manos a la obra!

ALGO QUE ME HA DADO ENVIDIA ÚLTIMAMENTE

....

....

Graba en tu cerebro lo mejor de cada día[67]

La primera vez que escuchas algo nuevo, como por ejemplo un número de teléfono, se graba en tu memoria, al menos durante unos segundos. Pero si no reutilizas pronto una información, tu cerebro la borra rápidamente. No quiere llenarte la cabeza de datos inútiles. Los neurólogos piensan que necesitamos entre diez y veinte segundos de repetición o concentración para empezar a fijar algo en la mente. Por debajo de esos diez segundos no se nos queda grabado: la información se pincha como un globo... y desaparece.

Y eso también nos pasa con las emociones positivas... ¡El cerebro las recuerda con dificultad! ¿Por qué? Porque tu cerebro está programado para sobrevivir, y por ello se fija más, y recuerda mejor, las cosas negativas, porque piensa que eso es lo que te ayudará a sobrevivir.

En cambio las emociones positivas, a menos que sean impresionantes, son fugaces. Piensa en una buena taza de café que tal vez hayas disfrutado esta mañana, o en el abrazo que tu hijo te dio anoche. ¿Ya se te había olvidado, verdad? Y es que a tu cerebro programado para sobrevivir le interesa más tu supervivencia que tu felicidad.

Pero ¡eso tiene arreglo! Aquí tienes tres pasos sencillos que te ayudarán cada día a grabar en tu cerebro esos buenos ratos que tanto bien hacen. ¿Listos?

[67] Adaptado del doctor Wayne W. Dyer, psicólogo y escritor, conocido sobre todo por su libro *Tus zonas erróneas* (Debolsillo, 2010).

LA RUTINA: Lo primero es fijarse en un momento positivo, como por ejemplo ese abrazo que te dio una persona querida hace unas horas. Es como ENCENDER UN FUEGO.

Ahora vamos a ALIMENTAR ESE FUEGO, esa emoción positiva, QUE ACABAS DE ENCENDER. Para ello, lanzamos un par de leños al fuego, es decir, vamos a centrarnos en esa emoción positiva; en este caso, vamos a pensar en ese abrazo durante unos diez o veinte segundos. Lo estás fijando en tu memoria.

Y ahora que has encendido el fuego y lo has alimentado durante unos segundos, deja que la emoción te llene el cuerpo. Es como si te dejases CALENTAR por ese fuego que has encendido y alimentado. Disfrútalo no solo con la mente sino con todos tus sentidos, sin prisa. Siente el calor del abrazo, la caricia, la risa, el olor de la persona...

Haz esto como rutina cada día esta semana, con distintos ratos buenos que quieras recordar y fijar en tu mente. Verás qué diferencia a la hora de llenar tu vida de recuerdos y experiencias positivas. Este pequeño gesto te ayuda a entrenar tu cerebro en positivo, y eso no es solo agradable, sino que es importante para tu salud mental y física.

RUTINAS EXPRÉS PARA INSPIRARME Y CREAR ALGO BELLO

La creatividad, es decir, la capacidad de encontrar ideas y soluciones originales y valiosas a los retos diarios, no es un don que tienen unas pocas personas. Si eres humano, sin duda estás dotado para la creatividad. Si quieres ver ejemplos de creatividad, mira a tu alrededor: la cocina, la moda, la jardinería, cómo haces un ramo, cómo ordenas un armario... Cada vez que encontramos una forma original de resolver un problema, pequeño o grande, estamos siendo creativos.

Sin embargo, el cerebro tiende a encerrarse en rutinas y costumbres, a hacer siempre lo mismo de la misma manera. Y eso debilita nuestra creatividad. Al contrario de los niños, que están siempre dispuestos a experimentar algo nuevo porque tienen aún muy pocas respuestas cerradas a los retos diarios, los adultos tendemos a repetir comportamientos conocidos y aparentemente seguros. Y así, si siempre hacemos y pensamos lo mismo es difícil que pase nada nuevo en nuestras vidas.

Para potenciar tu capacidad creativa, solo tienes que permitirte actuar más como un niño, con curiosidad y sin prejuicios. Puedes hacerlo con cualquiera de estas estrategias, un pequeño menú creativo que te invito a poner en práctica para sacarle brillo a tu creatividad y mirar el mundo con ojos nuevos.

Usa los sentidos

Decía Pablo Picasso que el artista es un receptáculo de emociones que llegan y te invaden desde cualquier rincón: desde el cielo, desde la tierra, desde un trozo de papel, desde una tela de araña o una forma apenas percibida... Tenemos múltiples sentidos que nos ayudan a recibir toda esta información. ¿Quieres despertarlos y estar más abierto a la vida que te rodea?

LA RUTINA: Hoy, mientras comes, paseas o haces cualquier actividad centra tu atención en cada uno de tus sentidos, durante unos minutos cada vez. ¿Ves lo que te rodea de forma un poco diferente, más rica? Reflexiona acerca de la intensidad con que percibes cada estímulo y pregúntate qué sensaciones despierta en ti.

PERSONAS QUE INSPIRAN...
STEVE JOBS

El fundador de Apple fue un hombre brillante y visionario. su discurso inaugural en la universidad de Standford en 2005 se considera uno de los mejores que se han regalado a unos alumnos: https://www.ted.com/talks/steve_jobs_how_to_live_be- fore_you_die.

Siempre hablaba de «conectar los puntos»: «la creatividad es conectar las cosas... no puedes conectar los puntos cuando miras al futuro; solo puedes conectarlos cuando miras hacia el pasado. Así que debes confiar en que los puntos, de alguna forma, en el futuro terminarán por conectarse. Debes confiar en algo: tu intuición, el destino, el karma... lo que sea. Porque creer que los puntos se unirán en algún momento de tu camino es lo que te dará la confianza para seguir adelante. Esta forma de ver las cosas nunca me ha fallado, y es la que ha convertido mi vida en lo que es ahora.»

Las veinte cosas que más me gusta hacer[68]

Todos tenemos a lo largo del día algunos momentos preferidos, pequeñas cosas, pequeños gestos o actividades que nos dan placer, que nos hacen sentir bien. Recurrir a ellos es una fuente de bienestar.

LA RUTINA: Haz una lista de las veinte cosas que más te gusta hacer a lo largo del día y toma conciencia de ellas.

....

....

....

....

....

....

....

....

....

....

---

[68] Las tres rutinas siguientes estan adaptadas de *The Artist's Way*, de Julia Cameron.

Las cinco personas a las que más admiro

Seguro que hay personas en tu vida, o que han pasado de algún modo por ella, que te sirven de inspiración, a las que admiras por algún motivo. Son referentes para ti, singulares por algún motivo.

LA RUTINA: Haz una lista de las cinco personas (vivas o ya fallecidas, famosas o no) a las que más admiras. Pon en la lista a personas con quienes crees que sería divertido o interesante estar durante toda la eternidad, y no a aquellas personas con quienes crees que deberías pasar tiempo. ¿Qué características te gustan de esas personas y cuáles de ellas crees que podrías buscar en tus amigos?

Diez pequeños cambios

Todos tenemos en mente, de una u otra forma, las pequeñas o grandes cosas que nos gustaría cambiar de nuestra vida. Ser conscientes de ello es un primer paso para transformar nuestra realidad.

LA RUTINA: ¿Cuáles son las diez cosas que te gustaría cambiar de tu vida? Haz una lista y ordénala de mayor a menor importancia. Elige algo de esa lista que quieras lograr esta semana y trata de hacerlo realidad a lo largo de la misma.

ME GUSTARÍA ....

....

....

....

....

....

....

....

....

Sé tu propio gurú[69]

¿Necesitas un ejemplo de alguien que te inspire, que te recuerde los talentos que llevas dentro? ¡Sé tu propio gurú!

LA RUTINA: Busca un lugar tranquilo, acomódate y cierra los ojos. Elige una imagen de ti mismo que te guste y obsérvate. Imagina ahora que de tu imagen salen rayos de luz, y que estos rayos se convierten poco a poco en palabras. Esas palabras son sugerencias que hace tu inconsciente de algunos talentos y habilidades que podrías explorar para crecer en cualquier ámbito. Por ejemplo, pintar, aprender un idioma o una técnica útil para tu profesión, viajar o atreverte con alguna afición que hasta ahora no has tenido oportunidad de desarrollar... Con esta visualización, te entrenas para superar el miedo a modificar y ensanchar la imagen que tienes de ti mismo.

[69] Un ejercicio de la psicóloga Irene Fernández Metti.

Cambia de perspectiva

Aunque no te consideres artístico, no importa. No hace falta que muestres tu arte a nadie. Pero te sentará muy bien pintar o fotografiar, porque es una rutina que te invita a mirar las cosas con más detalle, fijándote en aquello en lo que nunca te habías fijado. No juzgues el resultado final, sino el proceso y el cambio de perspectiva que potencia.

LA RUTINA: Fotografía o dibuja una escena natural.

Reconoce tu propia creatividad

Ser consciente de este don creativo que tienes es el primer paso para ser aún más creativo. ¿Cómo lo haces?

LA RUTINA: Empieza apuntando tres actividades creativas que hayas hecho hoy: arreglar algo, un dibujo, construir un objeto... La creatividad se manifiesta de muchas formas, algunas muy cotidianas, como hacer un regalo o poner la mesa. Piensa también en qué área te cuesta menos ser creativo. ¿La cocina, el arte, la jardinería, la mecánica? ¿Dónde sale más a relucir tu creatividad? Si ya lo tienes claro, entonces dedícate a potenciar ese ámbito. Te proporcionará grandes satisfacciones, seguro.

Haz preguntas

Libérate de la necesidad de guardar las formas y permítete ser una persona curiosa, incluso rara en ocasiones. Sal de la normalidad para empezar a ver e imaginar un mundo diferente para ti. Esa es una puerta muy directa a la creatividad...

LA RUTINA: Cambia de perspectiva para hacer preguntas, juega a ser otra persona: por ejemplo, pregunta lo que preguntaría un niño, un piloto, un médico, una señora mayor... Pregúntate cómo funcionan las cosas y por qué.

La creatividad es un músculo

¿Estás dispuesto a ser cada día más creativo? ¡Entrena tu creatividad como si fuera un músculo!

LA RUTINA: Para entrenar tu creatividad, empieza a prestar atención a los detalles de las actividades cotidianas que haces sin pensar, como ponerte los zapatos, los correos electrónicos que sueles enviar y recibir cada día... Juega a cambiar el nombre a las cosas, o fíjate en un objeto, una fruta o un árbol cotidianos como si lo vieses por primera vez. ¿Qué nombre les pondrías? ¿Para qué podrían servir? Esta clase de experimentos te pueden ayudar a ver nuevas posibilidades en el mundo que te rodea.

Habla con tu crítico interior

Todos llevamos dentro un crítico interior. Esta voz interior quiere mantenerte seguro, evitar que hagas el ridículo y que te arriesgues demasiado.

LA RUTINA: ¡Reta a tu crítico interior! No dejes que te cohíba, que te limite. Habla a este juez implacable y dile que se relaje, que quieres probar cosas nuevas. ¡Emancípate de tu crítico interior!

UNA CARTA (O UNA FRASE) A MI CRÍTICO INTERIOR

RUTINAS EXPRÉS PARA MOTIVARME Y CONSEGUIR METAS

¿Tu mente piensa por sí misma? ¿Le dices lo que tiene que hacer y te ignora? Si te interrumpen, ¿te resulta difícil concentrarte de nuevo? ¿No estás seguro de qué cosas te motivan en la vida? ¿Te cuesta hacer esfuerzos y mejorar? ¿El tiempo se te pasa volando, pero crees que no avanzas lo suficiente?

Si has contestado muchas veces que sí, aquí encontrarás estrategias y rutinas para motivarte y conseguir tus metas.

¡MANOS A LA OBRA!

Sal de tu zona de confort

Cada uno de nosotros tiene una zona de confort donde todo lo hacemos razonablemente bien. No fracasamos cuando estamos en ese territorio que nos es cómodo, porque nos sentimos seguros. Pero refugiarnos siempre en lo conocido y seguro puede limitarnos. ¿Cómo podemos salir de vez en cuando de nuestra zona de confort? Haciendo un esfuerzo consciente, deliberado, para arriesgarnos y experimentar cosas nuevas. La adrenalina que vas a generar arriesgándote te hace más creativo, más fuerte y más rápido.

LA RUTINA: Haz una lista de 25 cosas que te harían mejor persona, mejor profesional, mejor lo que sea... ¡Escoge una o dos, y ve por ellas! ¡Arriésgate! Cuando las hayas conseguido, elige otras dos, y sigue experimentando y mejorando...

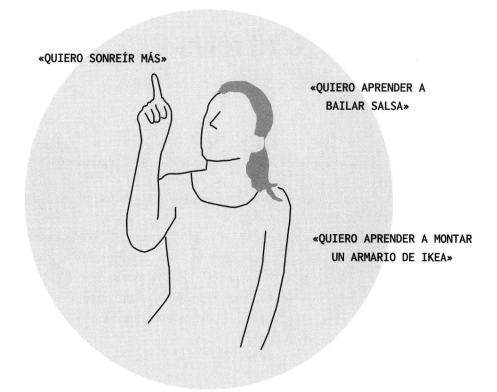

305

Una estrategia infalible para mejorar en cualquier cosa

Las investigaciones sugieren que una de las formas eficaces de mejorar lo que sea que quieras mejorar es midiéndolo. De esta manera, logras tener una referencia clara de dónde estás y calcular cuánto te falta para mejorar. Y esa estrategia sencilla y eficaz podemos aplicarla a nuestra vida diaria para mejorar en cualquier ámbito. ¡Pruébalo! Son solo dos pasos. ¡Vamos allá!

LA RUTINA:

1 Piensa en algo que quieres mejorar: por ejemplo, tu forma de hablar con los demás, cómo presentas un proyecto, el orden en tu casa, un plato que acabas de cocinar, tu relación con tu hijo, una sesión de *networking* a la que has ido esta semana, la comida con los suegros... ¡Lo que sea! Elige.

LO QUE QUIERO MEJORAR:

....

....

Al final del día, tómate unos segundos para ponerte nota a ese algo concreto que quieres mejorar .

2 Si la nota que te has puesto no ha sido un 10, pregúntate: ¿Qué hubiese tenido que hacer para darme un 10?

¿Por qué es esta estrategia tan eficaz? A menudo no somos conscientes de que podemos mejorar las cosas. Simplemente, nos dejamos llevar y tendemos, por rutina y hábito mental, a repetir la misma forma de enfrentarnos a los retos diarios. Por eso se dice que el hombre es el único animal que tropieza dos veces en la misma piedra... Porque estamos hechos de costumbres y hábitos. Y así, cuesta mejorar.

PONER NOTA TE AYUDA A SER CONSCIENTE DE QUE HAY ALGO QUE MEJORAR.

En cambio, ponerle nota a tu experiencia está dando la señal a tu cerebro de que hay algo que mejorar. Ya te fijas en ello, ya estás alerta. Además, pensar en acciones concretas que puedes hacer para subir la nota te ayudará a mejorar de forma tangible, a avanzar paso a paso.

Puedes aplicar esta estrategia de mejora no solo a momentos concretos de tu vida profesional y personal, sino también para evaluar etapas más amplias, como una experiencia laboral o un tiempo concreto de tu vida, como el año que acaba de pasar. ¿Qué nota le pones? Si es un 10, enhorabuena, pero si no es un 10, ¿qué podrías hacer para mejorar esa nota? Ajusta tus prioridades para conseguirlo, ¡y manos a la obra!

Te retarás, te divertirás y lograrás avanzar en cualquier ámbito de tu vida.

Mejora tu autocontrol con el reto de los diez minutos

¿Cómo andas de autocontrol? Es una habilidad muy necesaria en nuestra vida: para preparar un examen, para montar un negocio, para conseguir lo que nos proponemos... Si tienes el autocontrol un poco desentrenado, no te preocupes: ya sabes que puedes aprender cualquier cosa, y desde luego también puedes entrenar tu capacidad de autocontrol. Primero vamos a comprender lo que pasa en tu cerebro cuando tienes ganas de algo. Pongamos que tienes ganas de un helado. Ves el helado y tu cerebro empieza a segregar dopamina, y eso pone en marcha lo que llamamos los centros de recompensa del cerebro, que te hacen sentir bien. Sabes que el helado te va a dar placer.

Pero ¿por qué sentimos tanta urgencia por consumir el helado? Porque al mismo tiempo, y esa es la parte mala, el cerebro genera una cascada de hormonas estresantes para que consigas esa recompensa y ese placer cuanto antes. Por eso cuando nos apetece algo, ¡tiene que ser ya! ¡Necesitamos eso cuanto antes!

Si tu cerebro no se estresase cuando deseas algo, sería más fácil gestionar nuestros deseos. Podríamos pensar con más calma acerca de cómo y cuándo queremos satisfacerla.

¿Qué puedes hacer para gestionar esa respuesta estresante del cerebro cuando deseas algo? La neuróloga Kelly MacGonigal sugiere esta estrategia:

TIC TAC
TIC TAC
TIC TAC

LA RUTINA: En primer lugar, debes fijarte en lo que deseas. Curiosamente, cuando sientes un deseo, si te centras en él disminuyes la respuesta estresante del cerebro. Así que si deseas algo que sabes que no te conviene, no intentes negártelo de entrada. Dite a ti mismo, «vale, me apetece un helado».

Y ahora llega la segunda parte: le has dicho a tu cerebro «de acuerdo, podrás tenerlo, va a ser tuyo ... ¡no te preocupes por ello! Pero será dentro de diez minutos». Esa es tu norma: espera diez minutos antes de ceder al deseo. El cerebro, cuando conoce las reglas del juego, se calma y frena la cascada de estrés que le causan los deseos.

Durante ese tiempo, haz algo que te distraiga, ¡pon distancia entre tú y la tentación! Llama a un amigo, haz un poco de ejercicio, pon música... repítete: «Lo haré, pero más tarde». Así lograrás aminorar la tentación y estarás en mejores condiciones de tomar decisiones sanas para ti.

Al principio te costará, pero con un poco de paciencia y entrenamiento conseguirás disminuir la respuesta ansiosa del cerebro, y lograrás ser más dueño, y menos esclavo, de tus deseos. Estarás entrenando tu autocontrol. ¡Y eso te va a ser muy útil!

Un truco para frenar el tiempo

Si quieres que el tiempo pase más despacio, admira alguna cosa, porque cuando te asombras por la belleza de algo casi parece que te liberas del tiempo que pasa. Los psicólogos denominan a esta experiencia «fluir». Se da cuando estás inmerso en la contemplación de una obra de arte, o tocando música, o contemplando un paisaje, o disfrutando mientras conduces un coche...

ALGO QUE HE ADMIRADO HOY

La regla del 90.90.1 para ser más productivo

* adaptado del escritor y coach Robin Sharma

¿Tienes un proyecto que quieres sacar adelante, pero vas mal de tiempo? Apunta aquí ese proyecto:

....

....

Seguramente te habrás fijado en que algunas veces el tiempo parece que vuela y otras transcurre muy lento... Por ejemplo, si estás involucrado en algo desagradable, como un accidente de coche, el tiempo parece frenarse. ¿Por qué? Porque cuando tenemos miedo, el cerebro se esfuerza en recordar todos los detalles posibles... De nuevo, te parecerá que el tiempo cunde mucho cuando sientes subir la adrenalina.

En cambio, hay veces en las que el tiempo parece precipitarse: por ejemplo, el tiempo de ocio vuela cuando lo estás disfrutando, ¡sobre todo si piensas que te ha costado mucho dinero! En los buenos momentos, si miras el reloj, el tiempo parece pasar más deprisa... ¡Así que olvida tu reloj y simplemente disfruta!

Pasa siempre igual, lo que cambia muchísimo es nuestra percepción del tiempo.

¿PODEMOS HACER ALGO PARA GESTIONAR EL TIEMPO A NUESTRO FAVOR?

LA RUTINA:

Durante los próximos 90 días, dedica los primeros 90 minutos de tu tiempo a ese proyecto importante para ti. Céntrate en esa cosa importante durante los primeros 90 minutos del día y no te distraigas con nada más.

Los estudios indican que el cerebro requiere al menos dos meses para conseguir que un nuevo hábito se grabe en tu cerebro. Con la regla del 90.90.1 le estás regalando a tu cerebro un mes extra de entrenamiento. ¡Funciona seguro! Sacarás adelante ese proyecto que te importa, aunque vayas mal de tiempo.

R186

Expresa claramente la meta principal de tu vida[70]

La meta principal de tu vida es la columna vertebral de todo lo que haces. Ser consciente de cuál es tu objetivo vital te ayuda a ganar tiempo y a tener una vida coherente.

Una señal inequívoca de que no tenemos las ideas tan claras acerca de cuál es la meta principal de nuestra vida es que nos cuesta expresarla en pocas palabras. Así que hoy vamos a expresar nuestra meta de vida claramente.

LA RUTINA: Escribe en dos o tres frases una declaración que exprese tu meta principal en la vida. ¿Para qué vives? ¿Qué te importa de verdad?

▶ Escribe aquello que quieres, no escribas lo que no quieres.

▶ Escribe una declaración muy específica, clara y que puedas conseguir.

▶ Escribe algo que refleje lo mejor de ti, con lo que te sientas identificado.

▶ Cambia las palabras hasta encontrar las que tienen sentido para ti.

Cada día, lee esta frase varias veces, y conecta con ella. Recuerda siempre lo que es más importante para ti y tenlo presente a lo largo del día.

Haz un listado de pequeñas metas que apoyen esa meta principal que acabas de definir, por ejemplo:

▶ Un encuentro con un profesor, un cliente o un colega del trabajo.

▶ Dedicar un tiempo o esfuerzo a un grupo o organización que tiene que ver con tu meta.

▶ Escribir un mensaje o correo electrónico a una persona u organización, o hacer una llamada.

---

[70] Adaptado de Joshua W. Utomo, fundador de *The Heal & Grow Center*, un centro dedicado a la salud y el bienestar integrales.

LA META DE MI VIDA:

....

....

TENGO EL TALENTO, EL CONOCIMIENTO Y HARÉ EL ESFUERZO PARA CONSEGUIRLO:

....

....

CADA DÍA, LEE ESTA FRASE LAS VECES QUE QUIERAS, Y CONECTA CON ELLA. SIÉNTELA. ¡TENLA PRESENTE A LO LARGO DE DÍA PARA NO OLVIDAR LO QUE ES IMPORTANTE PARA TI!

PEQUEÑAS METAS PARA APOYAR MI META PRINCIPAL QUE PUEDO ALCANZAR AHORA:

▶
....

▶
....

▶
....

La técnica del sí, sí, sí

En los años cincuenta, había un famoso libro llamado *Cómo ganar amigos e influir en las personas,* de Dale Carnegie, que decía que si consigues que alguien responda afirmativamente a una serie de preguntas será más fácil que esté de acuerdo contigo en el futuro. Pues resulta que los psicólogos lo han corroborado a lo largo de estos años. Si quieres convencer a alguien de algo, intenta empezar la conversación con esta persona con al menos dos preguntas a las que la otra persona responderá casi seguro de forma positiva. Por ejemplo, «¿qué tal estás?» (bien, gracias) y «¿quieres sentarte?» (sí).

Ensaya tu éxito

La visualización es muy poderosa y es transversal a muchas disciplinas. Por ejemplo, muchos buenos líderes son visionarios que pueden "visualizar" potenciales y posibilidades. Y calcularán meticulosamente cada detalle en su cabeza antes de ejecutarlo. Y cuando lo hacen, habitualmente les sale bien, pues la mayoría de los fallos posibles habrán quedado resueltos durante la fase de visualización.

El doctor Charles Garfield ha investigado mucho sobre las personas que alcanzan altos rendimientos, tanto en los deportes como en los negocios. Se quedó fascinado por el gran rendimiento al que llegaban en su trabajo los astronautas de los programas de la NASA, que lo ensayaban todo en la Tierra, una y otra vez, en un entorno simulado antes de viajar al espacio.

LA RUTINA: Muchos líderes y deportistas practican la visualización: ven, experimentan y corrigen los detalles de lo que van a ejecutar antes de hacerlo en la realidad. Tú puedes hacerlo en cualquier ámbito de tu vida. Antes de actuar, de hacer una presentación de ventas, de un encuentro complicado o del reto diario de hallar un objetivo, obsérvalo con claridad, sin descanso y de manera realista una y otra vez. Genera una zona de confort interna. Así, cuando estés metido en esa situación, ya no será algo extraño. ¡Porque lo habrás ensayado!

Cinco estrategias para lograr tus metas

En un estudio que hizo un psicólogo británico con miles de personas para saber cuántas cumplen sus metas y sus sueños se descubrió que solo un 10 por ciento lo lograba. ¿Por qué tan pocas? Básicamente, porque o bien no tenemos claro qué meta queremos cumplir o bien, aunque tenemos nuestra meta clara, no tenemos estrategias eficaces para lograr hacerla realidad. Si tenéis una meta o un sueño en mente, no dejéis de cumplirla por falta de estrategias. Ese 10 por ciento de personas que logran sus metas suelen utilizar algunas técnicas concretas. Vamos a compartir aquí las cinco estrategias más útiles que suelen utilizar las personas que cumplen sus metas. ¿Preparados?

LA RUTINA:

DIVIDE TU META FINAL EN
UNA ESCALERA DE PEQUEÑAS METAS

1 Divide tu sueño en una serie de submetas, temporalizadas y muy concretas. Para ello, dibuja una escalera compuesta de varios escalones. Cada escalón es un reto inmediato, que te llevará naturalmente al siguiente escalón, o reto, por cumplir.

CONFÍA TUS PLANES A ALQUIEN IMPORTANTE PARA TI

2 Cuenta tus planes a amigos, familiares y colegas: elige algún cómplice, alguien positivo y que te importa, a quien contar tu sueño. ¿La razón? Los humanos somos muy sociables, y nos esforzamos más cuando alguien nos apoya y cuando, además, no queremos defraudarle.

AUNQUE EL CAMINO SEA LARGO,
NO PIERDAS DE VISTA TU META FINAL

3 Aunque te centres en subir cada escalón a un tiempo, no olvides la meta final que te inspira.

RECOMPÉNSATE CADA VEZ
QUE LOGRES PEQUEÑAS VICTORIAS

4 Cada o escalón o submeta alcanzado merece un premio, por modesto que sea (es decir, ¡disfruta del camino y recompénsate!).

ESCRIBE O DIBUJA TU SUEÑO EN UN LUGAR VISIBLE

5 Plasma tus propuestas de forma gráfica, en un diario, con dibujos o con señales, y ponlo en un lugar visible (en la nevera, en un marco de fotos, etc.) para no olvidarlo. Si no, es probable que lo urgente te acabe distrayendo y devore tu sueño.

¿TIENES UN SUEÑO? ¡PUES MANOS A LA OBRA!

Conseguir lo imposible[71]

Para conseguir algo difícil, pensar positivamente no es suficiente. De hecho, pensar en querer ganar o conseguir algo concreto, si no te lo crees del todo, puede crear ansiedad e interponerse en tu éxito. Así que una pista para conseguir aquello que nos apetece mucho pero que nos parece muy difícil es no intentar convencerte de que es posible, sino simplemente ponerte a ello. ¿Cómo? «No puedes controlar un resultado, e intentar hacerlo te puede crear ansiedad. Pero sí que puedes controlar los esfuerzos que haces para ganar. Y eso, como lo controlas, no te crea ansiedad. Pones toda tu energía en el esfuerzo concreto. No estás emocionalmente atrapado», sostiene Gallway. Así que si una meta te intimida, deja de pensar en ella.

LA RUTINA: Imagina que tu meta es ganar un partido de tenis. Centra tu atención en el esfuerzo, no en el resultado del partido. Esto no solo mantendrá la ansiedad bajo control, sino que además mejorará la capacidad del cerebro de anticiparse a los posibles errores. Eso es lo que significa la frase «Vive el momento». La meta final está lejos, en el futuro. Tú estás en el presente, dándole a la bola y corriendo. Disfruta el momento, vívelo. Sin más.

[71] Adaptado de de Timothy Gallway, autor de *The inner game of tennis*

LA REGLA DEL CINCO

LEE CINCO PÁGINAS MÁS.
TERMINA CINCO PROBLEMAS
DE MATEMÁTICAS MÁS.
TRABAJA CINCO MINUTOS MÁS.

DEL MISMO MODO QUE LOS
ATLETAS CONSIGUEN
AUMENTAR SU RESISTENCIA
FÍSICA SUPERANDO EL PUNTO
DE AGOTAMIENTO, TÚ
TAMBIÉN PUEDES
INCREMENTAR TU
RESISTENCIA REBASANDO TU
PUNTO DE FRUSTRACIÓN.

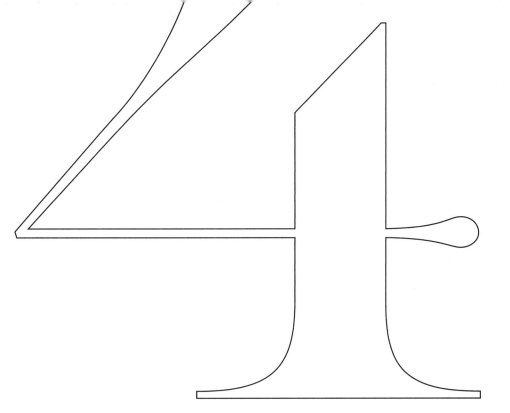

BLOQUE 4

EL MUNDO QUE ME RODEA

«Tus manos son mi bandera,
Y tengo de frontera una canción.»

JUANES Y PABLO LÓPEZ
Tu enemigo

☗ BLOQUE 4: EL MUNDO QUE ME RODEA 👫👫👫

▶ **Rutinas exprés para conectar mejor con el resto del mundo**

R191. La cara de bienvenida

R192. Causar una buena primera impresión

R193. Cómo no olvidar el nombre de los demás

R194. Pistas para conocer a gente nueva en cualquier lugar

R195. Comunicar con los ojos

R196. Una estrategia rápida para dar confianza

R197. La escucha activa

R198. Eres la media de las cinco personas que te rodean

R199. ¡Abrázate!

R200. El momento humano

▶ **Rutinas exprés para mejorar mi vida amorosa**

R201. Hacer algo nuevo en pareja

R202. ¡Celebra el éxito!

R203. Mirarse al alma

R204. El regalo de escucharse

R205. El equilibrio mágico

R206. La queja constructiva

R207. El peligro de estar a la defensiva

R208. Atrincherarse

R209. Reparar una relación

R210. Un abrazo de 6 segundos

▶ **Rutinas exprés para mejorar mi vida familiar**

R211. El Thing

R212. La prueba del vecino

R213. Círculos de optimismo

R214. Libérate de tu orden de nacimiento

R215. ¿Cuál es tu lenguaje de amor?

R216. Cinco pasos para ser un guía de las emociones

R217. Preguntas abiertas (que hacen fácil comunicarte con tus hijos)

R218. Los rituales de mi familia

R219. Un trocito de felicidad para cada persona

R220. Celebra tu historia familiar

RUTINAS EXPRÉS PARA CONECTAR MEJOR CON EL RESTO DEL MUNDO

No es casualidad que los humanos vivamos en redes sociales extensas y complejas. Estamos dotados para la empatía y para el afecto, y necesitamos que los demás nos permitan expresar y canalizar estas necesidades básicas. Cuatrocientos millones de años de evolución nos conminan a tocarnos, a mirarnos y a hablarnos los unos a los otros. Si no lo hacemos, desconectamos nuestra maravillosa capacidad de sentir por los demás, de ponernos en su piel, y nos sentimos desamparados y mucho más tristes.

Por ello me gustaría abrir este bloque de rutinas con un ruego: no dejéis pasar ningún día sin recuperar deliberadamente el contacto físico y emocional con al menos algunas de las personas que os rodean. ACARICIAD, SONREÍD, BESAD, MIRAD, ABRAZAD, HABLAD, ESCUCHAD Y CONSOLAD SIN DUDARLO. Lo necesitamos como el aire que respiramos.

La cara de bienvenida

Aquí tienes un truco útil para ayudar a una persona que no te conoce a sentirse bien contigo. Se llama «poner cara de bienvenida».

LA RUTINA: Cuando te encuentres con alguien a quien quieras comunicar agrado, pon un gesto de sorpresa al verlo, esto es, abre mucho los ojos y préstale atención. El otro se relajará porque se sentirá especial y bien recibido. Lo mejor de este gesto es que tan solo haciéndolo, tú también te sentirás relajado y más abierto.

Causar una buena primera impresión

Los demás nos evalúan con una mirada cuando nos conocen por vez primera, apenas unos segundos. En ese tiempo, el juicio se forma en base a tu apariencia, tu lenguaje corporal, tu actitud, esos gestos peculiares que son solo tuyos, cómo vas vestido...

LA RUTINA: Para causar una buena primera impresión, tu lenguaje no verbal es clave, porque transmite confianza en ti mismo y credibilidad. Practica este saludo frente al espejo:

- Mantente recto, con la barbilla un poco levantada.
- Sonríe generosamente.
- Mira a los ojos.
- Da la mano a tu interlocutor estrechándosela con una fuerza media.
- Si eres tímido, piensa de antemano en un saludo básico, tipo «Hola, ¿cómo estás? Soy Juan».

Cómo no olvidar el nombre de los demás

Imagina que estás en una fiesta. Te presentan a alguien y te dicen su nombre. Aunque la persona te resulte simpática, ¿por qué al cabo de unos segundos, aunque recuerdes muchas cosas acerca de esta persona, es probable que hayas olvidado su nombre?

Esto tiene más importancia de lo que parece: todos nos sentimos mal cuando la gente olvida nuestro nombre, porque lo asociamos a que no les importamos. En cambio, nos hace sentir bien cuando la gente nos llama por nuestro nombre, y prestamos más atención a quien lo conoce. De hecho, los neurólogos han comprobado que cuando llamas a alguien por su nombre su cerebro se activa de forma más pronunciada.

¿POR QUÉ OLVIDAMOS TAN FÁCILMENTE LOS NOMBRES? HAY VARIAS RAZONES...

CUANDO ESTÁS RODEADO DE EXTRAÑOS, ESTÁS CENTRADO EN QUEDAR BIEN. Tu cerebro se comporta como un niño pequeño en la función de fin de curso del colegio: no quieres hacer el ridículo y apenas te queda energía mental para registrar nombres nuevos.

Además, **LOS NOMBRES SON ARBITRARIOS**. Los nombres no tienen mucho sentido por sí mismos: nuestra memoria es buena asociando y conectando la informa-

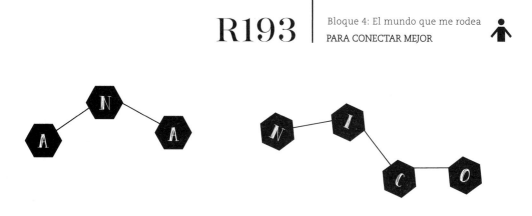

ción que le llega, pero una persona podría llamarse Juan o Pedro o Montse sin que ello revelara nada específico acerca de esa persona. Así que, ¿qué podemos hacer para recordar mejor los nombres?

LA RUTINA: Tu memoria registra a corto y a largo plazo. Cuando le presentas información nueva a tu cerebro, como por ejemplo un nombre, va directamente a tu memoria a corto plazo. Si no estás interesado o concentrado, en pocos segundos el cerebro borra esa información. Para lograr consolidar esa información en tu memoria a largo plazo, prueba con algunos de estos trucos:

REPITE O DELETREA EL NOMBRE. En cuanto te digan el nombre, repítelo mirando a esa persona, y si es un nombre inhabitual pídele que te ayude a deletrearlo. Te ayudará a fijarlo en tu memoria.

ASOCIA EL NOMBRE CON ALGO CONOCIDO: Elena, como mi hermana; o Celeste, como el color azul; o Mario, que trabaja en marketing…

MOTIVATE. Los psicólogos aseguran que la razón de fondo por la que no recordamos los nombres es porque no estamos realmente interesados, así que haz ese esfuerzo por centrarte en la persona y usa estos trucos para hacerle el regalo de acordarte de su nombre. Merece la pena: ¡los dos os sentiréis mucho mejor!

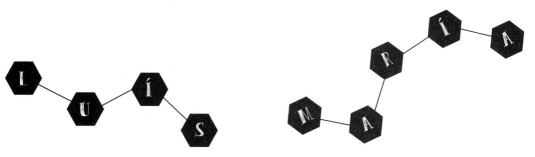

Pistas para conocer a gente nueva en cualquier lugar[72]

¿Alguna vez te has cruzado con un desconocido en un bar, un tren o un aeropuerto, y no has sabido cómo entablar conversación? Aunque a casi todos nos encanta conocer a gente nueva, muy pocos son los que tienen la confianza y la valentía de acercarse a charlar con un extraño. ¿Quieres atreverte?

LA RUTINA: Vamos a descubrir algunos consejos eficaces que nos ayudarán a entablar conversación con esas personas interesantes que todavía no conoces.

▶ **Deja claro desde el principio que la conversación no será larga.** Nadie quiere verse atrapado en una conversación incómoda con un extraño. Di: «Tengo que irme, pero antes quería preguntarle...». A casi todo el mundo le produce curiosidad charlar con un extraño simpático. Lo que resulta agobiante es no saber cómo vas a escapar si el extraño no te gusta.

▶ **Habla despacio. Si hablas agitadamente, parecerás nervioso y despertarás suspicacia.** La gente segura de sí misma habla con tranquilidad.

▶ **Pide ayuda o un pequeño favor a tu desconocido.** Crearás así un vínculo natural con la otra persona. Al fin y al cabo, los humanos estamos programados para ayudarnos los unos a los otros.

▶ **Haz preguntas abiertas, es decir, que no requieren un simple SÍ o NO.** Si la persona con la que estableces contacto habla, podrás utilizar lo que dice para generar una conversación con ella.

---

[72] Adaptado de Robin Dreeke, ex asesor del FBI y experto en liderazgo

ESTO PODRÍA SER LA PISTA MÁS IMPORTANTE PARA RELACIONARNOS BIEN CON LOS DEMÁS: ASEGÚRATE DE QUE LA OTRA PERSONA SE DESPIDE DE TI CON LA IMPRESIÓN DE QUE **ALGO EN SU VIDA HA MEJORADO PORQUE TE HA CONOCIDO**. ¡CONOCERTE TIENE QUE DEJARLE CON LA SENSACIÓN DE QUE LE HA PASADO ALGO BUENO, ALGO POSITIVO!

Comunicar con los ojos

Uno de los indicadores más fiables de que te estás comunicando bien con otra persona es el contacto visual. Los ojos reflejan el grado de sinceridad y confort que hay en la relación en ese momento. Cuando miras a alguien a los ojos es más probable que esa persona te mire, te escuche y confíe en ti, y además transmites a quien te escucha confianza y asertividad. Cuando miras a alguien a los ojos durante unos cuatro o cinco segundos, tiendes a hablar más despacio y te cuesta menos hacer pausas que transmitan tranquilidad y credibilidad.

LA RUTINA: Si te da un poco de vergüenza mirar a los ojos de las personas, practica hasta sentirte cómodo; por ejemplo, mirando a la pared como si fuese la cara de alguien. Cuando estés con una persona, o con un grupo, acostúmbrate a mantener la mirada unos segundos en tu interlocutor o interlocutores.

Una estrategia rápida para dar confianza

Para lograr convencer a alguien tienes que lograr que confíe en ti. Tienes que ganarte su confianza. Lo puedes hacer de la forma tradicional, que es dedicarle tiempo e interés a esa persona, pero si necesitas un atajo te voy a dar un truco muy eficaz. La gente confía en los que les caen bien, ¿verdad? Pues resulta que nos suele caer bien la gente que se parece a nosotros, así que primero tienes que ser capaz de convencer a esa persona de que te pareces a ella.

LA RUTINA: Relájate y céntrate en la otra persona. Mírala y escúchala. Para convencer a alguien de que te pareces a él o a ella, mira cómo gesticula, donde «coloca» las cosas de las que habla en el espacio, mientras habla. Y ahora, habla tú de ese mismo objeto y repite exactamente el mismo gesto que hacía. Por ejemplo, si él ha dicho: «Yo cuando voy en moto me pongo casco» (el que habla cierra los puños y los hace oscilar como si estuviese conduciendo una moto, y se toca la cabeza al hablar del casco), entonces tú dices: «Pues el otro día estaba aparcando la moto y me robaron el casco», y repites los mismos gestos. Y así, la persona a la que quieres convencer sentirá que compartes su mundo imaginario, que te pareces a ella, y se fiará mucho más de ti.

La escucha activa

La escucha activa es una forma no intrusiva de compartir los pensamientos y los sentimientos de otra persona. Cuando escuchas de forma activa, no analizas, interpretas o juzgas lo que se te dice. En su forma más sencilla, se trata de escuchar sin interrumpir lo que dice el otro, repetir lo que ha dicho y asegurarse de que lo que has repetido (o reflejado) es correcto.

Por ejemplo:

DIÁLOGO ENTRE UN PACIENTE Y UNA ENFERMERA SIN ESCUCHA ACTIVA:

Paciente: Me da mucho miedo la operación de mañana.
Enfermera: Oh, no pasa nada. El médico hace cientos de estas cada año.

MISMO DIÁLOGO CON ESCUCHA ACTIVA:

Paciente: Me da mucho miedo la operación de mañana.
Enfermera: (le mira, asiente y le sonríe): Así que te da mucho miedo la operación de mañana... ¿Puedes decirme qué es lo que te da más miedo?

LA RUTINA:

Para practicar la escucha activa, escucha a la otra persona de forma ininterrumpida y aplica estos principios durante vuestra conversación:

1 No interrumpas (¡este principio es muy importante!..., aunque es más difícil de lo que parece, ya que tendemos a interrumpir y sugerir soluciones sobre la marcha. Practica, ¡te será muy útil!)

2 Mientras escuchas sin interrumpir, expresa interés con los gestos, la sonrisa, la mirada, la voz...

3 Haz preguntas concretas cuando la persona haya dejado de hablar, pero no para opinar, sino SÓLO para entender mejor lo que ha dicho.

4 Resume lo que ha dicho: «Si te he entendido bien, me estás diciendo que...».

Esto ayuda a la otra persona a clarificar y articular sus procesos internos. Como se siente escuchada y respetada, se relajará y será más fácil mantener la conversación.

Prueba la escucha activa con tus familiares, amigos o compañeros de trabajo. ¡Verás qué diferencia!

Eres la media de las cinco personas que te rodean

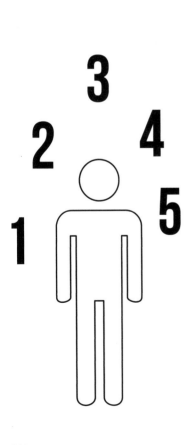

Si eres humano, para bien y para mal, la mayor influencia que tienes en tu vida es la de las personas que te rodean. Tanto es así que el escritor Jim Rohn acuñó la conocida frase «Eres la media de las cinco personas con las que pasas más tiempo». ¿Cómo funciona esta influencia? Estamos programados para contagiarnos de las emociones de quienes nos rodean por diversas razones. Aprendemos imitando, y, además, imitar las emociones de los demás nos puede salvar la vida: cuantos más seamos, más protegidos nos sentimos, así que copiamos gestos, risas, toses, acentos, bostezos, seguimos modas... Pero, ojo, porque las emociones más contagiosas, las que se propagan como un virus, son las emociones que el cerebro asimila con nuestras supervivencia: el desprecio, la ira o el miedo. Es decir, somos más vulnerables precisamente a las emociones más intensas y a veces más perjudiciales...Así que, ¿qué te contagian las personas que te rodean?

LA RUTINA:

Piensa en las cuatro o cinco personas que con las que más tiempo pasas y haz una lista de las emociones que suelen expresarte. Por ejemplo, apunta tres emociones para cada una de estas cinco personas.

Ahora divide las emociones que has apuntado en positivas o negativas.

El saldo de emociones de las personas que te rodean, ¿es más bien positivo o negativo? Piensa si hay alguna emoción que te gustaría experimentar y que no está en tu lista. O decide si, por el contrario, quisieras filtrar y reducir la presencia de alguna de las emociones menos atractivas que has apuntado en tu lista.

Céntrate en una emoción a la vez. Elige una emoción que quieras entrenar o disminuir esta semana. Familiarízate con esa emoción, convive con ella de forma consciente a lo largo de tu día: cada noche, antes de dormir, piensa en qué momentos la experimentas más y cómo. Comprueba durante unos días si estás logrando intensificar o disminuir esa emoción.

PERSONAS CON LA QUE PASO MÁS TIEMPO	EMOCIÓN PRINCIPAL QUE ME CONTAGIA ESTA PERSONA
1	....
2	....
3	....
4	....
5	....

¿QUÉ EMOCIÓN QUISIERA EXPERIMENTAR QUE NO ESTÁ EN MI LISTA?

Abrázate

El contacto físico reduce el estrés y libera oxitocina, una hormona que te hace sentir mejor.

LA RUTINA: si necesitas contacto físico pero en ese momento solo te tienes a ti mismo, acurrúcate. O lo que es decir, abrázate a ti mismo.
Acurrucarse es buena opción. Además, recuperar esa posición casi fetal nos relaja, nos devuelve a un momento de paz.

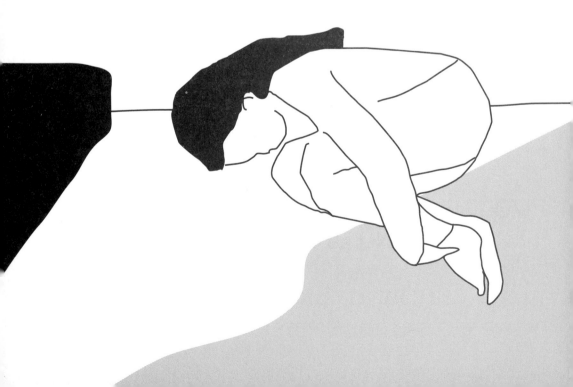

«QUÉ MARAVILLOSO
ES QUE NADIE TENGA
QUE ESPERAR UN
SOLO MOMENTO PARA
EMPEZAR A MEJORAR
EL MUNDO.»

ANNA FRANK

El momento humano

Vivimos una época en que las personas dicen sentirse cada vez más solas. Comunicarnos con los demás no siempre resulta fácil. Una de las razones de ello es que estamos viviendo en un entorno nuevo, para el que no estamos programados, bombardeados por datos, información, distracciones... Y, como resultado, cada día prestamos una atención más dividida a los demás, porque en el fondo aún somos novatos en eso de gestionar esa atención dividida...

Así que, a veces, este entorno tan estimulante que nos rodea cambia nuestra forma de comunicarnos con los demás, aunque no siempre para bien, porque resulta tentador reemplazar la cantidad por la calidad en nuestras relaciones.

¿APUESTAS POR LA CANTIDAD O POR LA CALIDAD, EN TUS RELACIONES?

¿Cuál era nuestra forma tradicional de comunicarnos con los demás? Hablarnos mirándonos a los ojos. De hecho, la buena o mala conexión emocional que establecemos con los demás tiene mucho que ver con cuánto nos miramos a los ojos. El contacto visual es la forma más intensa de comunicación no verbal con los demás. Pero los estudios dicen que cada día nos miramos menos.

¿Qué podemos hacer para que nuestra comunicación con las personas que queremos no se vea mermada, disminuida?

Te voy a recomendar un gesto sencillo para mejorar la calidad de nuestras relaciones. **Se llama «el momento humano»**. Se trata de detener deliberadamente la avalancha de actividades urgentes o entretenidas por hacer y tomarse un tiempo de atención plena para otra persona, o para un proyecto o un momento que quieras hacer especial. ¿Cómo lo puedes hacer?

LA RUTINA:

Si quieres disfrutar de un momento en el que realmente te sientas conectado, apártate de la pantalla, ignora tus dispositivos electrónicos, deja de soñar despierto o de tener la cabeza en otra parte, y presta plena atención a la persona que quieras. Esto no siempre resulta fácil, porque estamos rodeados de estímulos. Pero dedícale, regálale conscientemente, ese momento humano de atención plena, solo para él o para ella. Como dice Daniel Goleman, **«la atención plena al otro es una forma de amor».**

Practicar el «momento humano» te ayudará a reconectar con los demás.

Para la avalancha de actividades urgentes y entretenidas, y dedica cada día un momento de atención plena a una persona especial.

PRACTICA EL MOMENTO HUMANO CADA DÍA, ¡HASTA QUE SE CONVIERTA EN UN HÁBITO!

RUTINAS EXPRÉS PARA MEJORAR MI VIDA AMOROSA

Un día te enamoras y construyes un edificio para vivir allí con tu pareja. Si se tratase de un edificio de ladrillos, te sentirías obligado a mantenerlo y a renovarlo de vez en cuando. Sin embargo, con los edificios hechos de emociones y costumbres tendemos a ser mucho más pasivos. ¡Nos cuesta más mantenerlos! Y así, se van deteriorando hasta que resulta incómodo, o incluso imposible, seguir viviendo allí.

Las parejas necesitan mantener su relación como si fuese un edificio. ¿Por qué? Porque cuando las cosas van mal y tú logras dar apoyo a tu pareja, no estás mejorando la pareja: simplemente impides que se degrade. Sin embargo, cuando celebras algo bueno, estás construyendo activamente, es como si reforzases los cimientos y el edificio de la pareja.

¿Cómo lleváis las reparaciones y el mantenimiento de vuestro edificio de pareja?

Hacer algo nuevo en pareja

En un estudio que indagó en la vida de más de 1.700 parejas de larga duración, se comprobó que los recién casados generalmente están encantados los dos primeros años de relación, pero que más adelante esos sentimientos tan intensos se debilitan.

¿Por qué son los sentimientos tan intensos al principio de una relación? Cuando te enamoras, descubres cada día cosas nuevas de tu pareja: cómo es, qué le gusta, que no, cómo es su familia, etc. El factor sorpresa es muy potente en nuestras vidas: cuando pasa algo nuevo, nos fijamos, nos sentimos interesados y vivos. Y al cerebro, como le encanta la variedad y la novedad, le da un subidón químico.

Aunque no podríamos vivir siempre con la pasión del principio, porque consume mucha energía y la necesitamos para hacer más cosas, sí que solemos echar en falta un poco de esa emoción del principio del enamoramiento.

¿PODEMOS HACER ALGO POR RECUPERAR EN LA PAREJA UN POCO DE ESA ILUSIÓN?

¡Sí podemos! Precisamente uno de los secretos de las parejas felices es que logran mantener, aunque sea un poco, esta sensación de novedad y sorpresa en su pareja. No hace falta hacer nada extraordinario: sencillamente, incorporar a tu vida de pareja elementos de sorpresa placenteros.

LA RUTINA: Basta con unos noventa minutos semanales de una actividad divertida durante diez semanas para notar un cambio positivo en la pareja.

Ojo, elige bien qué quieres hacer con tu pareja: un experimento clásico del psicólogo Arthur Aron mostraba que cuando a parejas consolidadas les dabas a elegir entre actividades agradables pero rutinarias —como visitar amigos o ir al cine— frente a actividades más activas y sorprendentes, como esquiar o ir a bailar, mejoraba más su disfrute como pareja con las actividades más sorprendentes.

NUEVAS ACTIVIDADES QUE PODRÍA HACER CON MI PAREJA

....

....

....

....

....

....

....

....

¡Celebra el éxito!

Lo que nos dicen los estudios es lo siguiente: cómo una pareja celebra sus éxitos es aún más importante que cómo se enfrenta a sus dificultades.

LA RUTINA: Un secreto importante para darle vida a tu pareja es celebrar sus éxitos. Sé su mayor fan.

ALGO PARA CELEBRAR HOY:

....

....

....

....

....

....

Mirarse al alma

La mirada es una toma de contacto muy poderosa. Con el ajetreo diario, podemos perder la costumbre de usar esta vía de comunicación con la pareja. Para fortalecer el vínculo entre vosotros, utiliza esta técnica.

LA RUTINA: Cada uno mira al otro a los ojos, mientras ambos respiráis a la vez. Este espacio te permite reconectar con tu pareja.

El regalo de escucharse

La escucha atenta es una forma de escucha activa en la que dejamos hablar al otro sin interrumpir ni juzgar. Puedes practicarla de forma consciente, dedicándole un tiempo cada semana a una persona, para que se sienta escuchada.

LA RUTINA: Busca un lugar y momento tranquilos, y elimina las distracciones. Sentáos el uno frente al otro en posición cómoda y relajada. Decidid quién empieza y medid el tiempo con un temporizador.

▶ La persona A habla durante diez minutos y comparte lo que quiera durante ese tiempo: pensamientos dispersos, esperanzas, sueños, un conflicto pendiente... Si la persona se queda sin nada que decir, no importa: ¡disfrutad del silencio!

▶ La persona B escucha en silencio, prestando mucha atención. ¡No dice nada, solo muestra interés con su lenguaje no verbal!

Cuando suene el temporizador, fijadlo de nuevo en diez minutos y cambiad turnos.

Podéis hacer esto al aire libre, durante un paseo...

Este ejercicio brinda un espacio sencillo pero muy reconfortante, donde regalas tu atención total al otro.

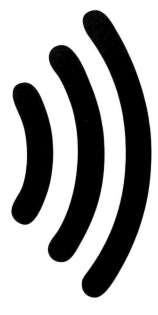

«ES MEJOR HABER AMADO Y PERDIDO QUE NO HABER AMADO NUNCA.»

LORD TENNYSON

El equilibrio mágico

John Gottman, un prestigioso psicólogo americano, puede predecir, solo observando a una pareja durante quince minutos, si se va a divorciar. Tiene un 94 por ciento de aciertos. Se llama el equilibrio mágico de las relaciones de pareja, y es de 1:5 a favor de las interacciones positivas. Es decir, que si tenemos una balanza y ponemos a un lado lo positivo —el interés que mostramos por el otro, preguntarle cosas, ser cariñoso...— y a otro lo negativo —las críticas, la ira, la hostilidad, los sentimientos heridos...— comprobamos que las parejas que duran, hacen y dicen cinco veces más cosas positivas que las que se separan.

LA RUTINA: Apunta las interacciones positivas y negativas que has intercambiado con tu pareja esta semana ¡y calcula tu equilibrio!

INTERACCIONES POSITIVAS

INTERACCIONES NEGATIVOS

EQUILIBRIO
MÁGICO

La queja constructiva

John Gottman lleva décadas estudiando qué distingue a las parejas sólidas y felices de las que no lo son. Ha aislado algunos comportamientos concretos, que llama los jinetes del apocalipsis de las parejas.

Uno de los jinetes del apocalipsis de la pareja es la crítica. Claro que tenemos que poder quejarnos en casa, pero cuando quieres quejarte de algo, distingue entre una queja y una crítica. Si le dices a tu pareja: «Eres un idiota, no tienes remedio, siempre lo haces mal, eres tan vago como toda la familia de tu padre...», le estás diciendo que tiene un defecto de personalidad.

Una crítica es un ataque a su persona. Una queja, en cambio, es algo concreto que quieres cambiar del comportamiento de tu pareja.

LA RUTINA: El antídoto a la crítica es quejarte de un comportamiento muy concreto, no de la persona. Repetimos: no te quejes de una persona —«¡eres un vago!»—, sino de un comportamiento concreto: «¡Me sienta mal que sigas metido en la cama a la una de la tarde y no me ayudes con la comida!».

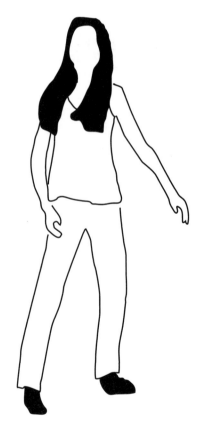

Cuando discutas con tu pareja imagina que tu discusión es una pelota de fútbol invisible. Puedes lanzar la pelota a tu pareja, recogerla y lanzarla de nuevo al otro; pero cuando criticas, estás pegando patadas directamente a la pareja, no a la pelota. **QUÉJATE, NO CRITIQUES.**

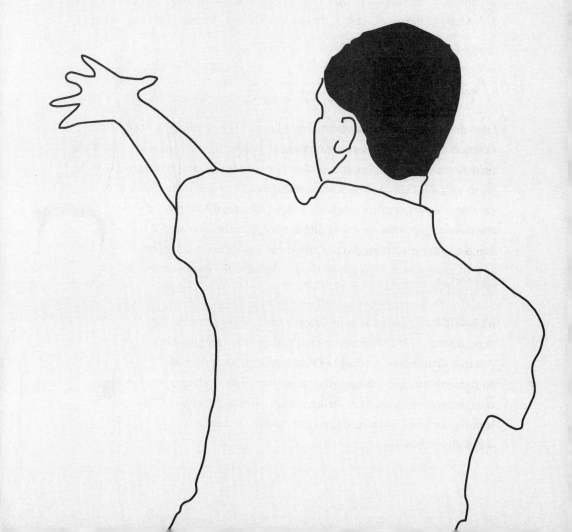

El peligro de estar a la defensiva

Cuando nos sentimos atacados nos ponemos a la defensiva. Lo hacemos de forma instintiva, para defendernos. Y a veces, contraatacamos y entramos en un círculo vicioso: «¿Yo? Y tú más».

Si el otro se pone a la defensiva, ya no podrás influir en él o ella. Y como sentirás frustración porque no tienes impacto en el otro, vas a incrementar tu agresividad. Peligro.

LA RUTINA: El antídoto a estar a la defensiva es aceptar un poco de responsabilidad en la discusión. Para ello, no te fijes en el desacuerdo, sino con qué parte del mensaje de tu pareja puedes estar de acuerdo. «Mira, tienes razón, hoy no he sacado al perro». Le estás diciendo: «Te oigo, lo que dices me importa».

Atrincherarse

Otro de los jinetes del apocalipsis de las parejas es ATRINCHERARSE. Cuando te atrincheras, te retiras de la pelea conscientemente. ¡Es algo muy físico! Quizá expresarás tu desacuerdo con el cuerpo: evitarás el contacto visual, cruzarás los brazos, mirarás a otro lado... Esto nos ocurre cuando nos sentimos desbordados por una discusión: «¡No me puedo creer que me haya dicho esto! ¡Es tan injusto!». Y te vas a atascar en lo negativo. Cuando te encierras o atrincheras, tu pareja se siente ignorada y sube el tono para conseguir una respuesta.

LA RUTINA: Atrincherarse se detecta fácilmente porque cuando eso ocurra tendrás más de cien pulsaciones por minuto. Así que el antídoto a atrincherarse es aprender a calmarse físicamente. Las parejas que mejor superan el atrincheramiento son las que mejor saben calmarse físicamente. Respira hondo, calma tu cuerpo y relaja tu lenguaje verbal.

Reparar una relación

Según John Gottman, el desprecio es el elemento más peligroso en una relación. El desprecio se manifiesta mediante burlas, amenazas, insultos o una crítica constante... El mensaje que subyace es: «Soy mejor que tú, no estás a mi altura». Ojo, porque el desprecio predice de forma muy segura el final de una relación, aunque esa pareja físicamente siga junta. También es un excelente indicador de cuántas enfermedades o infecciones va a tener quien recibe el desprecio en los próximos cuatro años. ¡El desprecio afecta la salud física de la pareja!

Gottman apunta que todas las relaciones tienen conflictos y periodos de distanciamiento. ¿Qué diferencia encuentra pues entre las relaciones sólidas y las que no lo son?

La diferencia es que las buenas parejas son capaces de reparar el daño que se puedan hacer. Saben decir: «Lo siento, no he estado bien, he metido la pata, ¿puedo hablar de ello?». y alimentan y reparan su relación de forma sostenida. Lo que distingue a una buena relación es la capacidad de reparar los problemas.

LA RUTINA: Después de cada discusión o malentendido, ¡no dejes pasar las cosas! Repara el desgaste cómo creas mejor, lo antes posible. Cuida y crea en tu casa una cultura de admiración, celebración y apreciación.

Un abrazo de 6 segundos

¿Cómo te sientes cuando te dan un masaje o te consuelan con un abrazo? El contacto físico es una de las formas de expresar afecto más potentes que tenemos. Un abrazo, sobre todo un abrazo largo y cálido, de al menos seis segundos, genera la química del bienestar, como la oxitocina, comunica muchas emociones en muy poco tiempo y sin palabras, calma el estrés y fortalece el sistema inmunológico.

LA RUTINA: Elige tus propios guiños para mostrar afecto físicamente: besos de *mariposa* o de *esquimales*, masajes reconfortantes, el Gran Abrazo de la Mañana (para los más pequeños) o cualquier gesto de cariño que sientas cercano.

RUTINAS EXPRÉS PARA MEJORAR MI VIDA FAMILIAR

Las familias son micromundos donde se fomenta el aprendizaje y el crecimiento de cada miembro. A las personas con las que vivo quisiera poder resguardarlas de todo lo duro de la vida, de las traiciones, de las penas, de las pérdidas, de las carencias, las suyas y las de los demás. Quisiera poder garantizarles ternura, ilusión, creatividad y esperanza, siempre. Pero no puedo. Solo puedo ayudarles a reconocer todo lo bueno que se cruza en sus caminos, que sepan agradecerlo y disfrutarlo, que aprecien y fabriquen cosas útiles y bellas, que sientan y ejerzan su poder para transformar lo injusto, lo mezquino y lo triste. Puedo tratarles, como sugería Goethe, como si fuesen ya lo mejor que son capaces de ser.

El Thing

Un Thing era la asamblea de gobierno formada por personas libres de la comunidad en las antiguas tribus germanas, una reunión en la que se dirimían disputas y se tomaban decisiones. En casa, le damos ese nombre a charlas que hacemos en torno a la cena de vez en cuando, cuando lo solicita uno de los miembros de la familia. Solemos convocarlas cuatro o cinco veces al año. Nosotros dejamos que lo pida espontáneamente un miembro de la familia, pero también podría programarse un Thing de forma periódica. Es muy útil para poner sobre la mesa (¡nunca mejor dicho!) los temas que puedan preocupar, pequeños o grandes.

LA RUTINA: El Thing tiene dos elementos concretos: exponer la preocupación y buscar en familia una propuesta de mejora.

Suele empezar el miembro de la familia que ha convocado el Thing, pero todo el mundo habla, y lo hace por turnos. Así, cada miembro de la familia dispone de un tiempo y aprovecha para exponer cualquier duda o reflexión que tenga en ese momento. Termina su turno con la propuesta de mejora, que se busca entre todos los miembros de la familia. Esta propuesta es importante: buscas formas concretas y prácticas para mejorar algo en las relaciones entre familiares, o en el funcionamiento de la casa. No pasamos el turno de palabra hasta haber logrado alguna propuesta de mejora, por sencilla que resulte.

En el siguiente Thing, se puede empezar revisando si las propuestas de mejora anteriores dieron algún resultado positivo o si hay que buscar otras.

¿QUÉ TE GUSTARÍA PROPONER EN TU PRÓXIMO THING FAMILIAR?

....

....

«TODAS LAS FAMILIAS EMOCIONALMENTE INTELIGENTES ORGANIZAN REUNIONES FAMILIARES, YA SEAN FORMALES O INFORMALES. EN ELLAS, MIENTRAS LOS PADRES SIGUEN GUIANDO Y DIRIGIENDO A LOS MÁS PEQUEÑOS, ESTOS TIENEN LA OPORTUNIDAD DE COMPARTIR SUS OPINIONES. NORMALMENTE SE PERMITE DISCUTIR, PERO SIENDO SIEMPRE CONSIDERADO CON LOS DEMÁS. ES POSIBLE QUE SE PIDA A LOS NIÑOS QUE DIGAN CUÁLES PUEDEN SER LAS CONSECUENCIAS DE SUS ERRORES DE COMPORTAMIENTO. TAMBIÉN PUEDEN NEGOCIARSE LAS NORMAS, Y LOS PADRES PUEDEN RECONOCER QUE SUS HIJOS DEBEN APRENDER A PENSAR POR SÍ MISMOS.»

SALLY CONNOLLY

La prueba del vecino

Un hogar se construye con ladrillos y, sobre todo, con emociones. ¿Cómo es el clima emocional de tu hogar? ¿Quieres mejorarlo? El prestigioso psicólogo Maurice Elias, profesor en la Universidad de Rutgers, organiza talleres para ayudar a las personas a convivir mejor en casa. Asegura que esto tiene mucho que ver con nuestra capacidad para controlarnos. Y para demostrarlo, sugiere que hagamos esta prueba.

Imaginad que todos en casa se están peleando: rencillas, gritos, reproches y tensión invaden nuestro hogar. Y de repente, alguien llama a la puerta... ¡Es el vecino! Le abrimos la puerta y todos en casa se calman de repente. Nada es demasiado bueno para el vecino: le ofrecemos una bebida, recogemos la ropa tirada por el suelo, le invitamos a sentarse en el sofá, nos hablamos todos con amabilidad...

Bien, pues cuando el vecino se marcha pueden ocurrir dos cosas: que todos empecemos de nuevo a pelearnos... o que cada cual retome sus actividades con tranquilidad. Y Maurice Elias pregunta: «¿Por qué necesitamos que un vecino nos obligue a ejercer el autocontrol que todos llevamos dentro?». Los adultos, nos recuerda, necesitamos aprender a comportarnos con inteligencia emocional sin que nada nos fuerce a ello.

Así que Elias recomienda que hagamos la prueba del vecino en nuestra casa. ¿Os apuntáis?

LA RUTINA: La prueba del vecino es muy sencilla. ¿Eres capaz de comportarte con tus hijos y con tu pareja durante un día entero como si un vecino os estuviese escuchando cada minuto del día? ¿Eres capaz de no decir nada que no quisieras que el vecino oyese? ¡Muchas personas confiesan que les resulta muy difícil! Por ello, el profesor Maurice Elias aconseja que practiquemos, y que lo hagamos de forma sistemática un día a la semana. «Habla con tu familia de forma más respetuosa, evitando los pequeños reproches e insultos... Si lo hacemos al menos un día a la semana, 52 semanas al año, lograremos una limpieza y reequilibrio emocional... Nuestra familia sabrá que "Oye, mis padres/mi pareja me quieren de verdad. No solo me lo demuestran cuando viene el vecino a casa".»

Las familias lo necesitan para lograr un clima emocional inteligente.

Círculos de optimismo

Cuando convivimos con los demás, el optimismo es necesario porque con él contagiamos a los demás alegría de vivir. Y la alegría de vivir es básica para hacer la convivencia agradable, divertida. Por eso, aunque algunos lo tachen de inconciencia o de ingenuidad, en realidad a todos nos resulta tan atractivo y necesario el optimismo. ¡Así que hoy vamos a consolidar el hábito del optimismo!

ESTA RUTINA SE PUEDE HACER EN GRUPO: EN FAMILIA, EN EL TRABAJO, CON AMIGOS...

LA RUTINA: Hacemos una lista con tres columnas: en una columna, apuntáis un recuerdo alegre, que os guste mucho. En la segunda columna, apuntáis una persona a la que queréis. Y en la tercera columna, apuntáis un deseo, algo que os gustaría hacer en vuestra vida en el futuro cercano.

Ahora, elegiremos tres colores, que representen cada uno de los elementos de esta lista: un color para el recuerdo, un color para la persona querida y un tercer color para el deseo.

Recortamos círculos en cada uno de esos tres colores: según su color, los círculos van a representar a esa persona, a ese recuerdo, a ese deseo... Haz varios círculos de colores, decóralos si quieres, y pégalos en casa donde puedas verlos. Rodéate de ellos y, cuando los mires, vuelve a sentir las emociones cálidas que te generan tus recuerdos, tus seres queridos y tus deseos para el futuro.

Poco a poco, entrenarás tu cerebro para que genere de forma habitual el bienestar y el optimismo de las emociones positivas que sientes cuando miras tus círculos de colores.

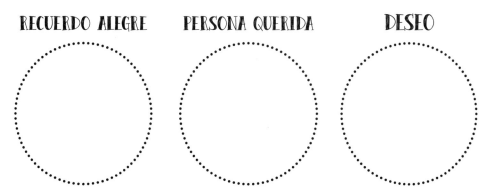

RECUERDO ALEGRE   PERSONA QUERIDA   DESEO

Libérate de tu orden de nacimiento

¿Eres hijo único, primogénito, has sido el último en llegar a la familia? ¿Crees que algo tan casual como tu orden de nacimiento en la familia puede tener un impacto en tu vida o en la de tus hijos? Vamos a verlo...

Uno de los elementos qué más ha llamado la atención de los psicólogos durante décadas es el impacto que parece tener el orden de nacimiento de una persona en su familia. Por ejemplo, ¿sabéis que el primogénito, esto es, el primer hijo o hija de una pareja, tiende a alcanzar sus metas con más frecuencia que los demás hermanos? De los primeros veintitrés astronautas que fueron al espacio, veintiuno eran primogénitos, y dos además eran hijos únicos, que son como superprimogénitos.

Los primogénitos tienden a asumir el mando con naturalidad y a elegir profesiones donde pueden destacar. Y es que ya de pequeños, sus padres probablemente tenían grandes expectativas con respecto a ese primer hijo o hija. El primogénito se acostumbró a ser el centro de atención de sus padres, y eso reforzó su deseo de ser poderoso, líder y competitivo. Si eres primogénito, tu lema podría ser: «Para mí, es importante hacer las cosas bien».

LOS PRIMOGÉNITOS TIENDEN A SER COMPETITIVOS Y RESPONSABLES

Claro que no todo son ventajas para los primogénitos... Como suelen sentirse responsables, no quieren defraudar ni a sus padres ni a su entorno. Y eso puede limitarles excesivamente.

Cuando llega el segundo hijo o hija pasa algo curioso: suele adoptar el papel opuesto al del hermano mayor, sobre todo si es del mismo sexo. Piensa si esto es cierto en tu caso, o en el de tus hijos: ¿cuánto de lo que haces es solo por ser distinto a él o a ella? Y como los segundos tienden a recibir menos admiración y atenciones que el primogénito, en general, aprenden a valerse más por sí mismos.

Mi orden de nacimiento es ....

Voy a liberarme de mi orden de nacimiento.

LOS SEGUNDOS TIENDEN A ADOPTAR EL PAPEL OPUESTO AL DEL HERMANO MAYOR

Y luego llega el tercer hermano, que tiene que compensar su falta de fuerza y de experiencia con buenas habilidades sociales... ¡porque necesita que los demás le ayuden! Así que aprende a hacerse mimar y proteger, y por ello tal vez sea más popular y divertido que los demás hermanos.

EL TERCER HERMANO SUELE CARGAR CON MENOS EXPECTATIVAS

¡Pero todo lo humano es complejo! Los últimos estudios realizados por el psicólogo Alan E. Stewart muestran que tan importante como tu lugar de nacimiento en la familia puede ser el lugar que tú imaginas que ocupas en esa familia. Por ejemplo, si eres el pequeño pero tus hermanos ya no están en casa desde hace tiempo, tal vez hayas asumido el papel de hermano mayor.

LA RUTINA:

No tienes por qué cargar con ningún papel. ¡Libérate de tu lugar de nacimiento! ¡Experimenta la vida desde otras perspectivas! Para ello, ponte una pequeña meta inhabitual para ti. Por ejemplo, si eres el «primogénito responsable y perfeccionista» de la familia, no recojas los platos después de la comida familiar de este domingo. ¡Quédate sentado y relájate como los demás!

Nuestras vidas, y las de nuestros hijos, no tienen por qué estar dominadas o limitadas por los azares del nacimiento.

¿Cuál es tu lenguaje de amor?

El mundo está lleno de personas que dicen quererse pero que no saben cómo expresar su amor al otro. Para que esto no os pase, quisiera hacer un repaso práctico a las maneras básicas en las que los humanos expresamos y recibimos afecto. ¡Allá vamos! El doctor Gary Chapman define las cinco maneras básicas con las que las personas expresan y reciben amor: a través del contacto físico; haciendo regalos; verbalmente, mediante palabras; con actos de servicio o compartiendo tiempo de calidad con los demás. Las denomina «lenguajes de amor».

¿CÚAL ES TU LENGUAJE DE AMOR?

Cada persona tiene uno o dos tipos de lenguajes de amor con los que se siente especialmente cómodo para expresar y recibir afecto.

LENGUAJE 1: EL CONTACTO FÍSICO

El lenguaje físico es el más sencillo de expresar en casi cualquier circunstancia, porque es directo y cálido. ¿Necesitas sentir físicamente a las personas a las que quieres? ¿Tiendes a abrazar y acariciar naturalmente? Entonces tu lenguaje de amor preferido es el contacto físico.

LENGUAJE 2: LOS REGALOS

¿Te gusta recibir regalos? ¿Interpretas los regalos como un gesto de amor de los demás? Cada regalo puede ser una fiesta para quienes hablan ese lenguaje, porque perciben detrás de cada uno el afecto de los demás. Una advertencia: resulta tentador intentar remediar la falta de empatía y de comunicación emocional a través de los regalos. Sin embargo, regalar debería ser un lenguaje de amor, y no una herramienta para manipular.

LENGUAJE 3: LAS PALABRAS DE AFIRMACIÓN

SÍ ¿Te consuelan y ayudan de forma especial las palabras de cariño de los demás? Entonces tu lenguaje de amor es el de las palabras. Sopesa bien el poder de tus palabras para comunicar amor o desprecio. Todos recordamos palabras fugaces que se nos han quedado grabadas: la madre que dijo un día «¡como no eres atractiva, necesitas vestirte bien!» o el profesor de gimnasia que decía que eras torpe, o la maestra que te llamó lento...Todo el mundo tiene algo especial que podemos reconocerle. Y con cada palabra sincera de aliento y de reconocimiento a la otra persona decimos: «Me interesas de verdad», y fortalecemos la autoestima y la seguridad de quienes nos rodean.

LENGUAJE 4: ACTOS DE SERVICIO

Gran parte de tu vida de adulto la empleas cuidando a los demás, en actos de servicio. Si estás resentido por el tiempo y el cansancio que esto implica, las personas a las que cuidas percibirán poco amor. Con los actos de servicio, no solo servimos a nuestras familias: les enseñamos y ayudamos poco a poco a ayudarse a sí mismos y a los demás. En una familia, cada persona tiene un talento que puede aportar. Deja que tus hijos te sorprendan con sus propios talentos, que no son necesariamente los tuyos.

LENGUAJE 5: COMPARTIR TIEMPO DE CALIDAD

El tiempo de calidad es simplemente un tiempo de atención sostenida. Es más sencillo ofrecer contacto físico y palabras de afirmación a nuestros hijos y seres queridos, porque no requieren tanto tiempo. En esta sociedad apresurada, el tiempo de calidad supone un esfuerzo generoso.

El factor decisivo en el tiempo de calidad no es tanto la actividad que se haga, sino el hecho de compartir algo juntos, de estar juntos. No es necesario ir a ninguna parte especial, sino regalar nuestro tiempo y nuestra atención.

LA RUTINA:

Estos son los cinco lenguajes del amor. ¿Reconoces tus lenguajes preferidos y los de tus hijos y pareja? Para ello, fíjate en cómo expresan su amor hacia ti o hacia los demás. ¿Tu hija de seis años siempre quiere hacerle regalos a su profesora? Un niño cuyo lenguaje de amor es regalar siente enorme placer cuando le regalan, y quiere compartir con los demás esta alegría. Toma nota de aquello de lo que su hijo o pareja se queja más a menudo; por ejemplo, «Nunca tienes tiempo para estar conmigo». En este caso, se trata claramente de reclamar más tiempo de calidad.

Así que comparte conscientemente opciones de ocio y de tiempo para ver qué lenguaje prefieren tus seres queridos. Tal vez descubras por qué, a pesar de tus esfuerzos, no conseguías transmitirles amor de forma convincente. Y si acostumbras a tus hijos a dar y recibir amor en todos los lenguajes, el día de mañana podrán comunicarse libremente en todos ellos con un amplio abanico de personas.

NO LE PIDAS A TU HIJO QUE TE AYUDE. ¿POR QUÉ? «AYÚDAME» SUENA MÁS BIEN A «HACER UN FAVOR», UNA TAREA POCO AGRADABLE Y MENOS RELEVANTE. PÍDELE QUE SEA TU AYUDANTE. ¡SE SENTIRÁ MÁS RESPONSABLE Y ORGULLOSO!

Cinco pasos para ser un guía de las emociones

John Gottman, investigador del ámbito de la psicología, escribió hace un libro titulado *Educar a los hijos en la inteligencia emocional*. Gottman estudió a ciento veinte familias durante varios años para desarrollar técnicas que los padres pudieran utilizar para ayudar a sus hijos a gestionar sus emociones de forma positiva. Sus estudios demostraron que enseñar a los niños a lidiar de forma positiva con las emociones negativas mejoraba su confianza, su desempeño en la escuela e incluso fomentaba unas relaciones sociales más sanas.

LA RUTINA:

Gottman divide el proceso de *coaching* emocional en cinco fases, que son las que vas a tratar de seguir:

▶ Darse cuenta de las emociones del niño o la niña (esto requiere que los padres entiendan sus propias emociones).

▶ Ver una oportunidad para estrechar lazos y enseñar en aquellos momentos en que los hijos expresan sus emociones (las emociones negativas no son desafíos a la autoridad ni algo que los padres deban arreglar o negar).

▶ Escuchar de forma empática y dar validez a las emociones e los niños (la simple observación puede ser más útil que hacer preguntas).

▶ Ayudar a los hijos a encontrar palabras para clasificar las emociones que experimentan sin intentar decirles lo que deberían sentir.

▶ Establecer límites mientras se exploran las estrategias para solucionar el problema.

«El éxito en el *coaching* emocional depende de saber transmitir a los niños que no hay nada malo en sentir emociones negativas sin aceptar el mal comportamiento que las acompaña», escribe Christine Carter, socióloga del Greater Good Science Center de la universidad de Berkeley. «Emociones incomodas como los celos, el miedo o el dolor son invitaciones a crecer, a entendernos mejor y a convertirnos en mejores personas. Piensa en ellas como oportunidades para conocer el mundo interior del niño y para enseñarle a gestionar las emociones negativas, ahora y en el futuro.»

Preguntas abiertas (que hacen fácil comunicarte con tus hijos)

Dicen que el roce hace el cariño, y esto es cierto. ¿Y sabéis por qué? Porque los humanos queremos y valoramos aquello en lo que invertimos tiempo y ganas. Si eres padre o madre, seguro que empleas muchas energías en asegurar la supervivencia física de tus hijos, en alimentarles, curarles, bañarlos y protegerles de peligros físicos... Pero ¿cuánto tiempo inviertes en hablar con tu hijo o hija?¿Cuánto tiempo dedicas regularmente a conocerle, a saber qué le interesa, qué le importa, cómo se lleva con los demás, cómo resuelve conflictos, o qué deseos y miedos tiene?

Comunicarse bien con los demás tiene al menos dos claves: primero, saber escuchar a la otra persona; y segundo, saber hacerle preguntas. Hoy vamos a practicar lo segundo: hacer preguntas que ayudan a generar buenas conversaciones, para descubrir y comprender mejor al otro.

Y eso es lo que quería lograr la periodista y madre Liz Evans. Se cansó de preguntarle a sus hijos: «¿Cómo ha ido el día en el cole?» porque solo conseguía respuestas muy cortas, como «bien», que le sabían a poco. Así que esta madre decidió hacer una lista de preguntas que no pudieran contestarse con un simple sí o no.

LA RUTINA: Las preguntas que contestamos con un sí, un no o una respuesta muy corta son lo que llamamos preguntas cerradas, y, aunque resultan útiles para conseguir informaciones concretas, no ayudan a fomentar conversaciones... Para invitar a nuestros hijos a explayarse, vamos a hacerles preguntas abiertas, es decir, preguntas que requieren una respuesta más profunda, más larga.

Las preguntas abiertas son la puerta de entrada a las conversaciones. Y para que desde hoy mismo podáis poneros manos a la obra con vuestros hijos e hijas cuando regresen del cole, aquí tenéis un surtido de 25 preguntas abiertas.[73] Cualquiera os puede servir para iniciar una buena conversación.

---

[73] Extraídas del artículo de Liz Evans «25 formas de preguntar a tus hijos "¿cómo ha ido el día en el cole?"» (*Huffington Post*, 04/09/2014).

1 ¿Qué es lo mejor que te ha pasado hoy en el colegio? ¿Qué es lo peor que te ha pasado hoy en el colegio?

2 Cuéntame algo que te haya hecho reír hoy.

3 Si pudieras elegir, ¿con quién te gustaría sentarte en clase? (¿Con quién NO te gustaría sentarte y por qué?)

4 ¿Cuál es el mejor sitio de la escuela?

5 Dime una palabra rara que hayas oído hoy (o algo raro que alguien haya dicho).

6 Si llamara hoy a tu maestra, ¿qué me diría de ti?

7 ¿Has ayudado a alguien hoy? ¿Cómo?

8 ¿Alguien te ha ayudado a ti? ¿Cómo?

9 Dime algo que hayas aprendido hoy.

10 ¿Qué es lo que te ha hecho más feliz hoy?

11 ¿Qué es lo que te ha parecido aburrido?

12 Si una nave de alienígenas llegara a tu clase y se llevara a alguien, ¿a quién querrías que fuera? ¿Por qué?

13 ¿Hay alguien con quien te gustaría jugar en el recreo y con el que nunca hayas jugado? ¿Por qué?

14 Cuéntame algo bueno que te haya ocurrido hoy.

15 ¿Cuál es la palabra que más ha repetido el maestro hoy?

16 ¿Qué crees que deberíais hacer más o aprender más en la escuela?

17 ¿Qué crees que deberíais hacer menos o aprender menos en la escuela?

18 ¿Con quién crees que podrías ser más simpático en clase?

19 ¿Dónde juegas más en el recreo?

20 ¿Quién es la persona más divertida de la clase? ¿Por qué es tan divertida?

21 ¿Cuál ha sido tu parte favorita de la comida?

22 Si mañana fueras tú el maestro, ¿qué harías?

23 ¿Hay alguien en tu clase que necesite relajarse más?

24 Si pudieras cambiarle el sitio a alguien de tu clase, ¿con quién lo harías? ¿Por qué?

25 Dime tres momentos diferentes en los que hayas utilizado el lápiz hoy.

¿CUÁL SERÍA TU PREGUNTA FAVORITA? ¿POR CUÁL QUIERES EMPEZAR?

Cuando tus hijos vean que valoras sus palabras y sus pensamientos, se sentirán bien consigo mismos. Además, aprenderán a escuchar, a preguntar y a interesarse por los demás. Aprenderán también que sus opiniones importan y se sentirán más respetados y responsables de sus actos y pensamientos.

Los rituales de mi familia[74]

Las familias necesitan rituales, códigos comunes que generan complicidad y simpatía, una union frente al mundo que da fuerza y seguridad. Puede ser algo tan simple como cenar pizza los viernes o cantar a coro en las sobremesas de Navidad. Los rituales unen, producen bienestar.

Fiese asegura que «las bromas y los apodos demuestran que este es un grupo al que perteneces y que, de forma abreviada, te permite tener experiencias más profundas». Añade que, para que los rituales funcionen, deben ser flexibles: «No pueden ser rígidos. Si vuestro restaurante habitual ha cerrado, debéis poder ir a otro sitio».

LA RUTINA: Haz una lista de los rituales que tiene tu familia.

....

....

....

....

....

....

....

[74] Barbara Fiese, PhD, profesora de psicología de la Universidad de Siracusa, Nueva York.

Un trocito de felicidad para cada persona

Hay familias en las que todo se centra en la pareja de los padres, o bien al contrario, toda la energía se focaliza sobre los hijos. Pero como nos recuerda la escritora Lise Heyboer, «la salud y la seguridad son muy importantes, pero lo primero es la felicidad. Así que asegúrate de que todos, incluyendo tu mismo, tenéis un trocito de felicidad...».

Como siempre, los adultos son el modelo concreto en el que se fijan los niños para aprender. ¿Qué modelo de familia y de pareja les estás dando a los niños? ¿Te gustaría que ellos tuvieran una pareja y una familia parecida a la tuya?

LA RUTINA: ¿Cómo describirías a tu familia?

....

....

Celebra tu historia familiar [75]

Compartir los detalles y anécdotas de la familia a la que perteneces ayuda a los miembros de esa familia a sentirse parte de algo más grande que ellos mismos, más enraízados y más sólidos.

No hace falta que tus hijos o tu pareja hayan conocido a las personas de las que les hablas: basta con que sepan que existieron y que forman parte de una herencia cultural y afectiva.

LA RUTINA: En casa, tened a mano cajas de fotografías de distintas etapas de vuestra vida familiar, o álbumes donde apuntéis los nombres y algunas anécdotas de familiares, aunque ya no estén. Compartid de vez en cuando viejas fotografías, recuerdos familiares, anécdotas y aventuras.

---

[75] Adaptado de David Niven, autor de *The 100 Simple Secrets of Happy Families.*

RUTINAS EXPRÉS PARA MEJORAR MI VIDA LABORAL

La mayoría de las personas no disfrutan demasiado con su trabajo. De hecho, los estudios muestran que solo una de cada cinco personas disfruta realmente con su trabajo (y a una de cada cinco le desagrada mucho). El resto tiene emociones más bien neutrales al respecto.

El reto con estas rutinas es lograr disfrutar más de tu trabajo, o bien ayudarte a encontrar una salida al mismo.

Cambia tu discurso interno

¿Sabes que pasas mucho tiempo hablándote a ti mismo? ¿Y qué te dices? Tus pensamientos tienen mucho poder sobre ti: pueden ser muy inspiradores y cálidos, o bien limitantes y negativos.

Lo cierto es que no solemos ser conscientes de nuestro diálogo interno. ¡Es solo un murmullo interno al que estamos tan acostumbrados! Por ejemplo, te puedes decir a ti mismo «¿Cambiar de trabajo? Para qué, si la mayor parte de los negocios fracasan»...Te dejas aconsejar por ti mismo. No has escuchado bien las palabras, pero marcan tu destino. No vas a intentar poner en marcha tu negocio. Pero ¿ha sido un buen consejo? ¿O has pecado de exceso de negatividad, de pesimismo?¿Cómo puedes derrotar el diálogo interno negativo?

LA RUTINA: Para cambiar tu diálogo interno, toma consciencia de él. La próxima vez que te sientas mal por algo (descorazonado, con las ideas poco claras, enfadado, triste...), para y escucha lo que estás pensando. Casi seguro que no es nada positivo. Ahora, escribe lo que estabas pensando de verdad.

••

••

¿Por qué merece la pena escribirlo? Porque cuando escribimos, nos distanciamos de un tema difícil, y así lo podemos evaluar con más objetividad.

Ahora, revisa tu diálogo interno. Vamos a encontrar un diálogo más positivo, pero que sea creíble para ti. Por ejemplo, «Me he preparado bien para este concierto. Normalmente, yo no me quedo en blanco, no hay razón para hacerlo ahora».

••

••

Repite tu nuevo diálogo interno hasta lograr borrar el anterior. Piensa que te estás enfrentando a tu acosador interno, a tu crítico malvado. No tienes por qué aceptar ese diálogo interno negativo.

¿QUÉ PALABRAS AMABLES TE HAS DICHO A TI MISMO HOY?

Haz un mapa con tus prioridades laborales

En general, tendemos a atascarnos en lo urgente y perdemos fácilmente de vista los planes a medio y largo plazo. Para evitarlo, es útil hacer un mapa de tu trabajo teniendo en cuenta tus metas a corto, medio y largo plazo. Ponlo en un lugar visible para ti y míralo de vez en cuando, así no perderás la perspectiva de hacia dónde quieres ir.

LA RUTINA: Haz una lista con tres columnas: tus metas a corto, medio y largo plazo.
▶ Las metas a corto plazo son las que tienes de cara a las próximas noventa y seis horas.
▶ Las metas a medio plazo son las que tienes en los próximos nueve meses.
▶ Las metas a largo plazo son aquellas en las que quisieras pensar más.

CORTO PLAZO	MEDIO PLAZO	LARGO PLAZO
....	....	
....	....	
....	....	
....	....	
....	....	
....	....	

¿Por qué trabajo?

Cuenta el filósofo Charles Péguy que fue de peregrinaje a la ciudad de Chartres, y allí observó a un tipo cansado, que sudaba y picaba piedra. Le preguntó: «¿Qué está haciendo, señor?», a lo que el otro contestó: «¿Acaso no ve que pico piedras? Es duro, me duele la espalda, tengo sed, tengo calor... Practico un sub-oficio, soy un subhombre». Péguy continuó su camino y a lo lejos vio a otro hombre que no parecía tan amargado. Le preguntó: «Señor, ¿qué hace?». «Me gano la vida», le contestó el hombre. «Pico piedra, no he encontrado otro oficio para mantener a mi familia... pero me contento con este.» Péguy siguió caminando hasta llegar a un tercer picapedrero. Le hizo la misma pregunta y obtuvo esta respuesta: «Yo, señor, construyo una catedral».

El hecho es el mismo para los tres hombres, pero cada uno le atribuye un sentido completamente distinto. Cuando se tiene una catedral en la cabeza, no se pica piedra de la misma manera.

LA RUTINA: ¿Por qué trabajas tanto? Es importante que tengas al menos una respuesta positiva a esta pregunta. Apúntala donde puedas verla, ¡y recuérdalo cuando necesites un subidón de energía para ir a trabajar!

Y TÚ, ¿POR QUÉ TRABAJAS? ¿QUÉ SENTIDO LE DAS A TU TRABAJO?

....

....

....

....

....

Un truco para vencer la pereza

El cerebro se resiste a empezar cualquier cosa, busca excusas, retrasa el momento de empezar... Técnicamente es lo que se llama procrastinar. Un 24 por ciento de personas se identifican como procrastinadoras, es decir, casi una de cada cuatro no se ponen manos a la obra porque les da pereza (tal vez haya más, pero ni siquiera se habrán molestado en rellenar los cuestionarios, ni pagar las facturas a tiempo, ni terminar sus proyectos, ni estudiar para un examen...) ☻. La verdad es que una clave importante en la vida es lograr transformar lo potencial, los sueños, los planes, en algo real. Para ello hay que ponerse manos a la obra, así que vamos a ver razones por las cuales nos cuesta hacerlo.

1 ¿Estás siendo vago? Si no empiezas, no te cansas. Esa es una razón muy corriente.

2 ¿Estás siendo demasiado perfeccionista? Hay mucho perfeccionista que no se lanza por miedo al fracaso.

3 ¿Estás desmotivado? Hay personas muy desmotivadas porque no se conocen bien a sí mismas y trabajan en cosas que les aburren. Les falta pasión para ponerse manos a la obra.

Si tienes un sueño o una meta, vamos a ver formas eficaces para superar la pereza que nos da ponernos manos a la obra.

LA RUTINA: La técnica del «sólo unos minutos...» es muy eficaz. Es de una psicóloga rusa llamada Vera Zeigarnik, que comprobó que cuando empiezas una actividad la mente experimenta una especie de ansiedad hasta que terminas lo que estás haciendo. Al cerebro no le gusta nada dejar las cosas a medias. En cambio, cuando terminas la actividad la mente da como un suspiro de alivio... Lo difícil es, sobre todo, empezar. ¿Qué podemos hacer para lanzarnos y no procrastinar? Tienes que engañar al cerebro diciéndole «Voy a ponerme a hacer esto solo unos minutos», y puedes estar seguro de que estos pocos minutos de actividad te van a crear la suficiente ansiedad mental como para que tú mismo quieras terminar tu tarea. ¡Inténtalo la próxima vez que te dé pereza hacer algo!

El pensamiento doble

Uno de los secretos en la vida es no solo tener buenas ideas, sino ser capaz de llevar estas ideas a la práctica. Recuerda que lo más difícil es empezar, y ten siempre claros y a la vista los beneficios y las dificultades de cada una de tus metas. Así, transformarás tus buenas ideas en realidad.

LA RUTINA: La técnica del pensamiento doble afirma que para ponerte manos a la obra necesitas ser un poco optimista y un poco pesimista. Vamos a coger un papel y apuntar dos beneficios evidentes que te va a reportar el trabajo que tienes que hacer, y también los dos obstáculos más importantes que te vas a encontrar. Con papel y lápiz, apuntamos en la cabecera un trabajo por hacer, por ejemplo, estudiar para un examen, cocinar una cena para tus amigos o estudiar para un examen... Estoy estudiando para sacarme el último curso de los exámenes para ser enfermera, me examino dentro de dos meses. Primero, tengo que pensar acerca de cómo este examen va a hacer que mi vida sea mejor.

▶ La primera ventaja es que podré trabajar y ganarme la vida cuando termine mis estudios de enfermería.

▶ La segunda ventaja es que podré trabajar en un hospital y conocer y cuidar a muchas personas.

Desde la perspectiva pesimista, tengo que reconocer que uno de los obstáculos evidentes que me voy a encontrar es que no podré salir casi durante estos dos meses, y mi novio me echará de menos. ¿Estoy preparada para eso? Además, mi trabajo me obligará a hacer guardias de noche.

Ya tenemos dos ventajas, con sus dos obstáculos consiguientes. Las investigaciones nos dicen que si haces esto, obtendrás mejores resultados que si solo te dedicas a ver la parte buena o solo la parte mala. Hay que llegar a este equilibrio para estar motivado, pero no tirar la toalla a la primera.

PENSAMIENTO OPTIMISTA

▶ ....

▶ ....

PENSAMIENTO PESIMISTA

▶ ....

▶ ....

La intimidad profesional[76]

La empresa de Shawn Riegsecker no solo tiene excelentes resultados, sino también varios premios que la distinguen como una empresa donde los empleados trabajan a gusto y que implementa prácticas éticas. ¿Uno de sus secretos? Lo que él llama «la intimidad profesional», que justifica con estudios que muestran que las personas que tienen buenos amigos en el trabajo se identifican y vuelcan mucho más en su empresa. Para tener amigos hay un indicador importante: compartir emociones y mejorar la comunicación. Esto se consigue eliminando lo que Shawn llama «represiones». ¿Qué son estas represiones? Si has pensado más de tres veces algo positivo o negativo respecto a un compañero en el trabajo y no lo estás expresando, entonces lo estás reprimiendo. La rutina que vamos a ver ahora ayuda a eliminar estas represiones, porque dañan la comunicación y la intimidad profesional.

LA RUTINA: Imagina que estás irritado con alguien que no está atendiendo tus peticiones de ayuda en el trabajo. Si mentalmente has pensado en ello más de tres veces, entonces ve a la persona que te está ocasionando este conflicto y resuélvelo. ¿Cómo? Utilizando una frase construida con cuatro bloques: emoción, hecho, relato y próximos pasos. Así lograrás separar la emoción de los hechos y del relato, es decir, de cómo interpretas tú la realidad, que no tiene por qué ser verdad.

«Me siento incómodo (emoción). No has dado respuesta a mis dos últimas peticiones de ayuda (hecho). Y mi relato es que no te importo y que me estás ignorando deliberadamente (relato). Lo que quisiera a partir de ahora es que me dieses una respuesta rápida acerca de si puedes, o no puedes, ayudarme (próximos pasos).»

Cuando la gente es valiente y se comunica con esta claridad, dice Shawn, todo es mucho más fácil. Te liberas de prejuicios y represiones para poder tejer vínculos sinceros con las personas con las que trabajas.

[76] Adaptado de Shawn Riegsecker, de Centro Media Manager.

Un plan
para cambiar de opinión

Los líderes políticos populistas se benefician cuando la gente está nerviosa o agitada: se les controla más, los retos les amilanan y están tan estresados que ni los registran correctamente. En esos momentos, nos cuesta mucho cambiar de opinión... ¿Necesitas cambiar de opinión? Para cambiar de opinión, hay que bajar las defensas del miedo.

LA RUTINA: Si te sientes acorralado en una situación a la que no ves salida, probablemente tienes miedo a perder algo. Enfréntate a ese miedo: ¿a qué tengo miedo? ¿Qué me da miedo perder? Busca soluciones que te ayuden a escapar de la cárcel del miedo en la que te has encerrado: una amistad o relación amorosa dependiente, por ejemplo, se alivia si abres tus horizontes y te planteas que no necesitas depender de una sola persona, y trazas un plan para abrirte al mundo exterior y hacer nuevos amigos.

¿A QUÉ TENGO MIEDO?

COSAS CONCRETAS QUE PUEDO HACER PARA TENER MENOS MIEDO A ESA COSA:

....

....

....

....

....

....

Una estrategia contra el *bullying* o acoso en el trabajo[77]

El acoso no se da solo en las escuelas. Los acosadores, y los ambientes que facilitan sus prácticas, existen también en ambientes adultos y en entornos laborales.

El acoso laboral puede manifestarse de muchas maneras: los acosadores pueden criticar constantemente a sus subordinados o compañeros, pueden gritar a sus empleados, criticarles, burlarse de ellos o ignorarlos, en privado o frente a otras personas. El acoso también puede llevarse a cabo a través de las redes sociales.

Un entorno laboral hostil tiene efectos muy negativos, ya que afecta, a veces gravemente, la salud emocional de la persona que es el blanco del acosador, y reduce la productividad del trabajador.

¿Qué pueden hacer los trabajadores para evitar casos de acoso en el entorno laboral? Todos en la empresa deben apoyar una política de tolerancia cero frente al acoso, en vez de esconderse tras un muro de silencio y de mirar hacia el otro lado. Para ello, hay que denunciar los casos y dar apoyo a quienes sufren el acoso. Los acosados deben retomar el control de la situación, salir de la sensación de estar indefensos. Es importante aplicar a rajatabla la estrategia de «no dejar pasar ni una». Si crees que estás siendo víctima de un acosador, pon en marcha ya mismo la siguiente rutina:

[77] Adaptado de www.bullying.co.uk.

LA RUTINA:

▶ Habla con alguien en quien confíes.

▶ Haz un diario, donde apuntarás con detalle (hora, lugar y descripción concreta) cada incidente que te esté asustando o haciendo sentir mal.

▶ Apunta también los nombres de las personas que son testigos de estos incidentes. Tienes que poder documentarlos y probarlos.

▶ Apunta también cómo te hace sentir cada incidente.

Escribir este diario será una experiencia positiva en el mejor sentido, porque te va a permitir disponer de la evidencia que necesitas para defenderte.

A veces, se puede frenar al acosador con una sencilla intervención. Puedes enfrentarte a la persona y decirle: «Estoy segura de que no te das cuenta de ello, pero cuando me tratas así (da un ejemplo concreto) me siento acosado/a. Por favor, deja de hacerlo o tendré que poner mi queja por escrito formalmente».

Si con esta petición no consigues nada, redacta una queja formal que incluya los detalles que has consignado en tu diario y una descripción de cómo te sientes. Tu empresa tiene la obligación de atender cualquier queja formal y encontrar una solución aceptable y justa.

«SONRÍE, RESPIRA Y VE LENTO.»

THICH NHAT HANH

Recuerda tu pasión

Todos nacemos con algo que hacemos bien, que nos sale solo, que nos da alegría, que nos resulta familiar y divertido. Puede ser algo que no llama la atención, como leer revistas de negocios en los aviones cuando viajabas con tus padres..., o ser feliz cuando podías pasear horas en aquel pequeño invernadero que había cerca de tu casa cuando eras niña..., o ayudar a tus primos con los deberes... ¿Con qué soñabas despierto? ¿Qué te hacía sentir feliz de estar vivo? A veces no le hacemos caso a nuestras pasiones infantiles, y muchos adultos olvidamos ese talento, esa pasión infantil. Si no encuentras tu pasión, tal vez es porque la has olvidado. ¿Quieres recordarla?

¿Recuerdas qué te apasionaba cuando eras niño?

LA RUTINA: Piensa en tu infancia y recuerda las cosas que querías ser, los hábitos que te venían naturalmente, los juegos que te gustaba jugar y los libros que querías leer... Piensa en cuáles de estas pasiones de entonces aplicas a tu vida profesional actual.

Si te sorprenden las conexiones, ¡enhorabuena! Si en cambio no tiene nada que ver tu pasado con tu presente, y si no te sientes satisfecho con tu vida profesional, podrías encontrar en estos recuerdos pistas para cambiar tu rumbo.

Haz una lista de las cosas que te gustaba hacer de pequeño. Jugar, soñar, leer, imaginar, descubrir...

....

....

....

....

....

Afírmate

Estudios como los de Brendan Nyhan, profesor en el prestigioso Dartmouth College estadounidense, especialista en política y bloguero, muestran que cuando las personas practicamos la autoafirmación estamos más abiertos a considerar información nueva, porque reforzamos nuestra autoestima y no nos sentimos tan amenazados o inseguros.

Otros estudios sugieren que los alumnos que se enfrentan a entornos estresantes también se benefician de las autoafirmaciones para mejorar sus resultados académicos.

LA RUTINA: Para conseguir tus propias autoafirmaciones, piensa en un momento en el que te sentías orgulloso de ti mismo. Apunta ese momento y describe cómo te sentías. Lee y añade a estas experiencias positivas todas las veces que lo necesites.

UN LISTADO DE MIS EXPERIENCIAS POSITIVAS

....

....

....

....

....

¿CÓMO ME SENTÍA?

....

....

....

....

....

EL EFECTO DEL CENTRO DEL ESCENARIO.

¿TIENES UNA REUNIÓN, FAMILIAR O DE TRABAJO, Y QUIERES INFLUIR EN ELLA? ENTONCES FÍJATE BIEN EN DÓNDE TE SIENTAS Y UTILIZA EL «EFECTO CENTRO DEL ESCENARIO»: SI TE PONES EN EL CENTRO, PROBABLEMENTE VAS A TENER MÁS IMPACTO...

RUTINAS EXPRÉS PARA REGALAR A LOS DEMÁS

Este verano, mientras cenábamos, felicité a mi hija mayor por atreverse a subirse a su tabla de surf. Su hermana pequeña, que prefiere hacer castillos de arena en la orilla pero esa mañana se subió a una tabla de surf, me reprochó indignada que no le dedicase ninguna alabanza a ella. «¿Y qué quieres que te diga de tu surf? ¡Si casi nunca quieres hacerlo!», pregunté sorprendida. Se lo pensó un rato y exclamó: «Pues dime, ¡buena suerte! ¡La necesito!».

Admitan que mi pequeña es ingeniosa. Sinceramente, no espero menos de alguien que ha sabido fabricar una máquina del tiempo con el enorme reloj estropeado de la cocina, y cuya barriga está llena de duendes que clasifican la comida que ingiere. Ella solo pedía un poco de simpatía, unas palabras de apoyo, de cariño.

Las palabras, decía el escritor Rudyard Kipling, son la droga más potente que usa la humanidad. A veces son armas afiladas y letales, otras dejan una huella imborrable y luminosa. Los estudios nos revelan, una y otra vez, que nada dispara tanto la capacidad de superar obstáculos de las personas que el cariño de otra persona, sus palabras y sus gestos. No hace falta que sea alguien muy cercano a ti: puede ser la sonrisa o las palabras de un extraño, el gesto de cortesía de alguien que se cruza fugazmente por tu vida.

Somos avaros cuando escatimamos esas palabras y esos gestos que dan tanta alegría y fuerza a los demás.

Para que no os quedéis sin ideas para hacer más felices a las personas, aquí van algunas para regalar a manos llenas.

El listado de cumplidos[78]

Un día, una profesora de instituto de matemáticas pidió a sus alumnos que escribiesen los nombres de todos los compañeros de clase, dejando un espacio entre cada nombre. Después les pidió que pensaran y apuntasen en la lista una cualidad, algo especial que quisieran destacar de cada uno de sus compañeros. Al final de la clase, recogió las hojas y durante el fin de semana preparó un folio con el nombre de cada alumno, y allí reunió todos los cumplidos que cada cual había merecido por parte de sus compañeros. Entregó su hoja a cada alumno. El contenido de los folios no se discutió nunca en clase —cada alumno leyó su folio en privado—, pero quedó claro, por los comentarios que se escucharon aquella tarde —«no sabía que les caía tan bien», «pensaba que no le importaba de verdad a nadie»...— que los alumnos vivieron el ejercicio de forma muy positiva.

LA RUTINA: Como la profesora de matemáticas, encárgate de ser el coordinador de los listados de cumplidos de tu grupo de alumnos o amigos.

PS. Varios años más tarde, uno de estos alumnos, Mark Eklund, murió en Vietnam. Cuando el cuerpo fue repatriado a Minnesota, casi todos sus antiguos compañeros y la profesora de matemáticas asistieron al funeral. Después del funeral, el padre del joven soldado dijo a la profesora: «Quiero enseñarle algo», y sacó una billetera de su bolsillo. «La tenía Mark cuando le mataron. Creo que era importante para él y que tiene que ver con usted.» Abrió la billetera y sacó un folio de papel gastado por el uso. Era la lista de cualidades que los compañeros de Mark habían elaborado hacía años. A raíz de aquello, muchos reconocieron que para ellos también aquella lista había sido importante.

---

[78] Extraído de *Brújula para navegantes emocionales*, de Elsa Punset.

Cómo dar alas a una persona

El escritor y teólogo escocés Ian Maclaren decía: «Sé compasivo, porque cada persona con la que te cruzas está librando una dura batalla». ¿Podemos hacer algo para ayudar a las personas a superar obstáculos? Sí podemos. Hoy vamos a ver cómo dar alas a las personas que nos rodean.

El factor que dispara la capacidad de superación de obstáculos de las personas es el afecto de los demás. Y, concretamente, hay una forma de afecto que tiene un gran impacto en nuestra autoestima y en nuestra motivación, es decir, en cómo nos valoramos a nosotros mismos y en las ganas que tenemos de retarnos, de lograr metas. Son las expectativas de los demás, cómo nos ven, cómo nos valoran. Lo que los demás esperan de nosotros nos mueve, para bien o para mal. Las expectativas son una forma de esperanza, de creer en el otro.

Así que vamos a compartir la estrategia que utiliza el director de la Filarmónica de Berlín, y gran educador, Benjamin Zander, para motivar a sus alumnos, para transmitirles sus expectativas positivas.

LA RUTINA: Cuando empieza el curso, Zander pone un 10 a todos sus alumnos. Y entonces les pide que esa noche, en su casa, escriban una carta donde tienen que explicar qué van a hacer durante los siguientes meses para merecer ese diez. «¿Qué vas a hacer para ser esa persona sobresaliente? Sé esa persona, ¡enamórate de ella!», les dice.

Y es que los humanos necesitamos que alguien crea en nosotros. Eso dispara nuestra capacidad de superar obstáculos. Nos da alas.

Y esa capacidad de dar alas la tenemos cada uno de nosotros; en casa, en el aula, en la oficina, en la calle. ¡Úsala! ¡Regálala!

El juego de las tres cosas verdaderas

Hablar de forma espontánea es lo natural, pero puede resultar repetitivo: solemos pararnos en los umbrales de los tabúes y prejuicios que tenemos de cara a los demás. Si quieres romper estos prejuicios, te propongo esta rutina-juego para la próxima reunión de amigos.

LA RUTINA: Reparte una hoja y un boli a cada amigo. Cada uno tiene que escribir tres cosas verdaderas acerca de sí mismo, y también tres cosas falsas. En círculo, cada uno lee su listado en voz alta. Los demás tienen que adivinar qué cosa de la lista es verdadera y cual es falsa.

TRES COSAS VERDADERAS:

....

....

....

TRES COSAS FALSAS:

....

....

....

Cómo hablar de arte con nuestros hijos

Sabemos que el arte cumple una función importante en la vida de las personas. Los estudios muestran que cuando los niños se interesan por el arte se vuelven más empáticos y más sensibles a los demás y al mundo que les rodea. El arte enseña a nuestros hijos coordinación, motivación, colaboración..., y les permite compartir con el resto del mundo las emociones y preocupaciones universales que nos unen a través de las culturas. El arte despierta los sentidos del niño y dispara su imaginación.

Pero no siempre es fácil hablar de arte: como decía la bailarina Isadora Duncan, «Si pudiese decirlo, no tendría por qué bailarlo».

¿CÓMO PODEMOS HABLAR DE ARTE CON NUESTROS HIJOS AUNQUE NO SEA UN TEMA CON EL QUE ESTEMOS MUY FAMILIARIZADOS?

La directora del Museo Infantil de Arte de Nueva York dice que un principio útil para los padres cuando estos hablan de arte con sus hijos es que «en arte, no hay nada ni bueno ni malo». En un mundo donde lo juzgamos y lo medimos todo, el arte pone el énfasis en la experiencia individual de cada persona. Muchos padres sienten que deberían ser expertos para hablar de arte, pero eso no tiene por qué ser así. Una sugerencia es que los padres transformen la experiencia de una obra de arte —por ejemplo, una visita a un museo— en un aprendizaje conjunto con el hijo. Lo que cuenta es ser curioso y tener ganas de descubrir juntos lo que se esconde en cada obra.

Así que estamos en el museo, y nada es bueno ni malo, y lo vamos a descubrir juntos. ¿Por dónde empezamos?

LA RUTINA: Si nuestros hijos son pequeños, una estrategia concreta es ponerse frente a la obra de arte e iniciar la conversación con tres preguntas sencillas.

▶ ¿Qué está pasando? Deja que tus hijos den su opinión sobre lo que creen que está pasando en la obra de arte.

▶ Ayúdales con otra pregunta: ¿Qué ves aquí que te hace decir esto?

▶ Y seguid explorando con la tercera pregunta: ¿Qué más podemos encontrar aquí?

Cuando los hijos son un poco mayores y, por tanto, capaces de ponerse en la piel del artista, es momento de preguntar: ¿Por qué ha hecho esto el artista? ¿Cómo cambiaría esta obra si el artista hubiese tomado otra decisión?

Y con nuestros adolescentes, el arte puede servir para comprender mejor lo que piensan y sienten a medida que crecen. En las obras de arte, los chicos mayores suelen proyectar sus puntos de vista y sus emociones, y los padres pueden estar de acuerdo, o no, en un contexto seguro, donde hablamos de cosas importantes pero no directamente dirigidas a la vida del adolescente. Aquí, el arte puede ser un aliado para comunicarnos con nuestros adolescentes.

Sea como sea, a lo que no podemos renunciar en la experiencia de padres e hijos frente a una obra de arte es a divertirnos juntos. ¡Que lo disfrutéis!

TANTO SI VUELVES A VER A ESA PERSONA COMO SI NO, ¡ALEGRA SU DÍA!

La papelera

* del *coach* Francesc Guardans

¿Estás estresado, tienes una nube negra sobre la cabeza, estás negativo? Te ayudará esta estrategia con la que centrarás tu atención en filtrar la negatividad. ¡Basta con imaginar una papelera!

LA RUTINA: Hoy, pasa el día con una papelera imaginaria en la cabeza. Cada vez que te asalte un pensamiento negativo, crítico, debilitante... ¡tíralo a la papelera!

Un vale
para sentirte mejor

¿Estás teniendo un día complicado? ¡Esta rutina es para ti!

LA RUTINA: Date un respiro y toma este vale.

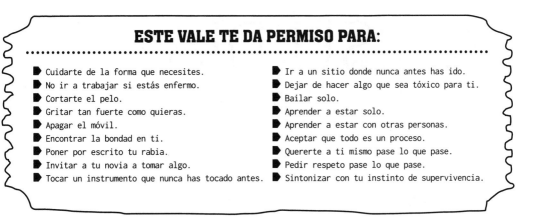

ESTE VALE TE DA PERMISO PARA:

- Cuidarte de la forma que necesites.
- No ir a trabajar si estás enfermo.
- Cortarte el pelo.
- Gritar tan fuerte como quieras.
- Apagar el móvil.
- Encontrar la bondad en ti.
- Poner por escrito tu rabia.
- Invitar a tu novia a tomar algo.
- Tocar un instrumento que nunca has tocado antes.
- Ir a un sitio donde nunca antes has ido.
- Dejar de hacer algo que sea tóxico para ti.
- Bailar solo.
- Aprender a estar solo.
- Aprender a estar con otras personas.
- Aceptar que todo es un proceso.
- Quererte a ti mismo pase lo que pase.
- Pedir respeto pase lo que pase.
- Sintonizar con tu instinto de supervivencia.

El bote de la felicidad
* de Elizabeth Gilbert

«Si buscas un nuevo ritual que pueda cambiar tu vida radicalmente, ¿puedo sugerirte que empieces a practicar la alegría? Es lo más fácil del mundo: cada día, escribe los momentos más felices que has experimentado y pon el papel en una caja. Hecho y hecho. He estado practicándolo durante más de diez años y creo que es la práctica espiritual más importante de mi vida. Te sorprenderá descubrir los momentos de felicidad que hay en tu vida, incluso en los periodos más tristes. Y te impresionará lo insignificantes que parecen esos momentos... hasta que empieces a sumarlos. Es una alegría enorme ir viendo cómo, a través de los años, el recipiente se va llenando con pequeñas piezas de evidencia de que, después de todo, quizá la vida no sea solo oscuridad y sufrimiento.»

LA RUTINA: Regálate el bote de la felicidad a ti mismo o a otra persona. Es una forma maravillosa de tomar conciencia de la alegría y la gracia que atraviesa, de forma casi invisible, la vida. ¿Por qué no empezar hoy?

PERSONAS QUE INSPIRAN...
ELIZABETH GILBERT

Autora de diversas novelas, relatos, biografías y memorias, Elizabeth Gilbert saltó a la fama en el año 2006 por su éxito *Come, reza, ama*, una historia de exploración personal y descubrimiento espiritual escrita durante un largo viaje, que se ha convertido en lectura de referencia para miles de personas.

Un regalo para ellas

Hasta la adolescencia, las niñas tienen el mismo lenguaje corporal que los niños. Pero en algún momento, en vez de expandirse empiezan a colapsarse: ocupan menos espacio, interrumpen menos y las interrumpen más veces que a los chicos. Adoptan un lenguaje corporal más sumiso.

Y es que cuando nos sentimos desempoderados, solemos encoger físicamente nuestro cuerpo, nuestras posturas y gestos, nuestra voz y forma de caminar. Y es cuando los demás nos perciben como débiles y asustados.

¿QUIERES REGALAR VIDA Y VOZ A LAS NIÑAS Y MUJERES QUE CONOCES? Cambia los estereotipos a los que solemos exponer a los niños y niñas. Enséñales ejemplos de niñas y mujeres en posturas triunfantes, poderosas, llenas de sano orgullo. Muéstrales que las posturas poderosas no son masculinas, sino que son para todos, niños y niñas, hombres y mujeres.

LA RUTINA: Diles a las niñas y mujeres de tu vida que merecen adoptar posturas abiertas, confortables, poderosas. Practica con ellas.

El masaje linfático de brazos (para ellas)

Tu sistema linfático ayuda a tu cuerpo a librarse de los restos que no puede utilizar. Para las mujeres, aprender a masajear sus brazos es una gran ayuda para limpiar su sistema linfático, especialmente los fluidos que quedan retenidos en esa parte del cuerpo y que con este masaje vamos a ayudar a eliminar. Notaréis una mejora en los brazos y en el pecho, que se deshinchan y están menos sensibles después de este masaje.

Si puedes, ¡pídele a tu pareja que aprenda a hacerte este masaje! Y disfruta.

LA RUTINA: Las manos que masajean (las tuyas u otras) resbalarán mejor por el brazo si usas aceite. Haz caminos alternando el dedo y la mano entera, subiendo desde el codo hasta el hombro. Usa una presión media. Haz esto durante varios minutos, siempre subiendo desde el codo hasta el hombro. Si hay áreas del brazo que duelen, masajea y repasa con un solo dedo, hasta que notes alivio.

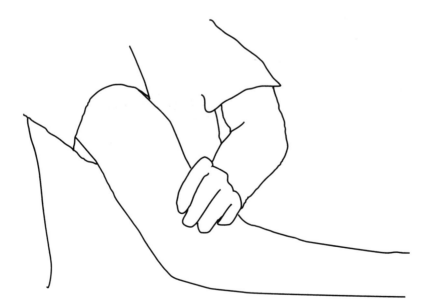

Planchar el entrecejo de forma natural (para ellos y ellas)

Un estudio revela que las mujeres que se inyectan bótox en el entrecejo tienen tendencia a sentir menos emociones negativas. Esto se debe a que tendemos a contraer el músculo del entrecejo cuando estamos enfadados o tristes. ¡Y es que nuestras expresiones faciales no solo reflejan un estado anímico, sino que pueden contribuir a crear estados de ánimo!

El masaje que vamos a hacer a continuación sirve para relajar el entrecejo y es vigoroso, aunque no debe llegar a doler.

LA RUTINA:

▶ Divide mentalmente tus cejas en tres partes: la parte más exterior, la parte media y la parte más cerca de las orejas.

▶ Aprieta entre índice y pulgar cada una de estas partes durante veinte segundos.

▶ Pon el tercer dedo sobre el entrecejo y empuja las manos hacia tus orejas, como si estuvieses estirando el músculo del entrecejo, durante veinte segundos.

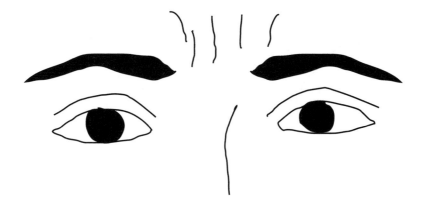

RUTINAS EXPRÉS PARA SORPRENDERME

Los humanos, dice el psiquiatra Dan Gilbert, somos proyectos en curso que equivocadamente creemos estar terminados.

Si siempre haces lo mismo, siempre dices lo mismo y siempre ves a las mismas personas, nada puede cambiar en tu vida.

Aquí tienes un puñado de ideas y rutinas para sacarte de tu zona de confort, porque en ese lugar diferente, que te reta y te saca de tus costumbres, ¡incluso de tus casillas!, es donde encontrarás oportunidades y savia nueva para reinventarte y sorprenderte.

Mi vida ideal[79]

Imagina que han pasado quince años desde el día de hoy. Estás viviendo tu vida ideal. Vives en el lugar que siempre has deseado, con las personas que más quieres, y desempeñas el trabajo que más te gusta, en la medida que prefieres.

LA RUTINA: Sigue imaginando esa vida tuya dentro de unos años. Alguien te hace un video durante un día entero. ¿Qué veríamos en ese video? ¿Dónde estarías? ¿Qué estarías haciendo? ¿Quién aparece en ese video? Piensa y visualiza. Plantéate: ¿me hace feliz lo que veo, lo que siento?

Si es así, ¿qué puedo hacer desde mi vida actual para caminar hacia esa vida ideal? Cuando lo tengas pensado, trata de llevarlo a la práctica. Poco a poco, da pequeños pasos que acaben ayudándote a recorrer una gran distancia.

[79] Un ejercicio de Richard Boyatzis y Annie McKee, especialistas en liderazgo.

El *focusing*: escuchar el cuerpo

En los años sesenta del siglo pasado, el profesor Eugene Gendlin, de la Universidad de Chicago, unió fuerzas con el psicólogo humanista Carl Rogers para contestar a esta pregunta: ¿por qué la psicoterapia ayuda a algunas personas, pero a otras no? Descubrieron una diferencia: las personas que más fácilmente se curaban solían, en algunos momentos de su terapia, ralentizar su forma de hablar y buscar palabras para expresar lo que sentían en ese instante. En vez de analizar, intentaban poner nombre a las sensaciones físicas, difíciles de describir, que sentían. Gendlin desarrolló una técnica para facilitar ese proceso de poner nombre a las sensaciones físicas, y lo llamó *focusing*.

Esta técnica funciona porque en realidad no hay una separación entre lo físico y lo mental, son dos formas de describir un mismo fenómeno. Lo que pasa en la mente se traslada al cuerpo, y viceversa.

Todos hemos experimentado cómo el cuerpo te habla de tus emociones: mariposas en el estómago antes de una charla con un supervisor, una bola en la garganta cuando tienes que decirle algo difícil a un paciente... Cuando escuchas tu cuerpo, te comprendes mejor a ti mismo. Te haces amigo de esa experiencia interna. Comunicas contigo mismo. Cuando estamos estresados, o enfermos, el cuerpo nos llama a gritos: dolor, ansiedad, cansancio... El *focusing* nos invita a centrarnos y atender el cuerpo de una manera diferente. Invita a conectarte con empatía con tu propio cuerpo, a buscar un sentido psicológico al malestar corporal, sin dejarse abrumar por las sensaciones. Es útil para reducir el estrés y trabajar con la ansiedad y el miedo.

UN EJEMPLO DE *FOCUSING*:

Cuando nos centramos en un síntoma físico y lo sentimos, al principio su significado es poco claro. Pero mientras le prestamos atención con una actitud de aceptación amigable, el sentido de esa sensación se aclara. Cuando estás bien enfocado en ese síntoma físico, te vienen las palabras o las imágenes para expresarlo. Y las palabras ayudan.

Por ejemplo, si te sientes molesto con un colega, no ayuda reprimir esa sensación y pretender que todo va bien. Es más útil tomarte un momento para aceptar ese sentimiento: «Bueno, una parte de mí está molesto con ella. Voy a pasar unos minutos con este sentimiento de estar molesto, y a ver si comprendo bien qué es exactamente lo que me está molestando». Cuando el sentimiento se aclara, lo sientes físicamente, como si dejases en el suelo un paquete pesado.

LA RUTINA:

Cierra los ojos. Apaga la parte más discursiva y racional de tu cerebro. Céntrate en tus sensaciones. ¿Qué sientes? (por ejemplo, presión en el estómago)

∙∙∙

Si te cuesta encontrar un nombre para lo que sientes, describe dónde está la sensación, y si puedes descríbela con tus sentidos: («noto una bola en el estómago, como algo negro..., es como humo... No, es algo más viscoso...»).

∙∙∙

¿Qué asocias a esa sensación de presión en el estómago? ¿Qué palabras te vienen? ¿Qué crees que empeora esa sensación? («Cuando pienso en Juan... Cuando recuerdo que llegan las navidades...»)

∙∙∙

Como acabamos de ver, el proceso de *focusing* es útil para que cualquiera pueda mejorar su comunicación interna y reducir su estrés.

Las 27 cosas que quisiera hacer antes de morir

1 ▶
....

2 ▶
....

3 ▶
....

4 ▶
....

5 ▶
....

6 ▶
....

7 ▶
....

8 ▶
....

9 ▶
....

10 ▶
....

11 ▶
....

12 ▶
....

13 ▶
....

14 ▶
....

15 ▶
....

16 ▶
....

17 ▶
....

18 ▶
....

19 ▶
....

20 ▶
....

21 ▶
....

22 ▶
....

23 ▶
....

24 ▶
....

25 ▶
....

26 ▶
....

27 ▶
....

¿QUÉ TEMAS O IDEAS REAPARECEN CON MÁS FRECUENCIA EN TU LISTA? RODÉALOS

La lotería

Imagina que acabas de ganar el premio gordo de la lotería y que te han tocado cincuenta millones de euros, el colmo de la suerte.

LA RUTINA: ¿Cómo cambiarías tu trabajo? ¿Tu día a día? ¿Cómo crees que cambiarías tu vida?

....

....

....

....

....

....

....

....

....

....

....

Los trucos de Sherlock Holmes para descubrir cómo son las personas

Para descubrir las verdades que ocultan las personas, el detective literario Sherlock Holmes se fija en detalles que a casi todos nos pasarían desapercibidos. Hoy vamos a aprender a fijarnos en ellos.¡Poneos el sombrero de detective y empezamos!

LA RUTINA: Una fuente de información fiable acerca de una persona es su Facebook. Aunque ciertamente tendemos a exagerar un poco lo bueno que tenemos en nuestra página de Facebook, las investigaciones muestran que allí nos mostramos bastante como somos, porque parecer alguien que no eres te forzaría a hacer cosas que no te interesan, y eso te daría pereza... Y además, las reacciones y comentarios de tus amigos te delatan cuando dices una cosa y haces otra.

Fíjate ahora en la casa de esa persona que te intriga. ¿Qué ves? Una casa bien mantenida por fuera dice mucho acerca de su dueño: ¿el jardín tiene flores? ¿Hay un viejo mueble lleno de carcoma en el balcón? Las casas cuidadas por fuera sugieren una personalidad sociable.

Entremos ahora en la casa. Fíjate bien en las fotografías que tiene expuestas. De todas las fotos que podría haber puesto, ¿por qué ha elegido precisamente esas tres? ¿Quiere que le veamos como un padre de familia, como un héroe, como un buen profesional? Fíjate también en qué lugar están puestas las fotografías. ¿Están puestas para que el visitante las mire?

Más detalles en los que fijarte: tanto si estás en el interior de una casa como en un despacho, ¿hay objetos originales? Eso sugiere que el dueño es alguien abierto a nuevas experiencias. ¿Todo está muy ordenado? Pues probablemente se trata de una persona concienzuda y fiable. ¿Tiene un salón acogedor y las puertas de la casa están abiertas? ¿Hay caramelos en la mesa? Estás ante alguien extrovertido. ¡Te están invitando a entrar y a quedarte!

¡Cada detalle de la casa tiene un mensaje para ti!

El sentido de mi vida

A menudo, nuestro día a día, la vida cotidiana —trabajo, familia, obligaciones, etc.—, nos hace perder de vista nuestros ideales, nuestros sueños, nuestros objetivos vitales. Vale la pena detenerse de vez en cuando y recuperarlos.

LA RUTINA:

Busca un momento tranquilo, siéntate con papel y lápiz, reflexiona y escribe:

▶ Si pudiera, yo haría...

▶ Si pudiera hacer una sola cosa en mi vida, sería....

▶ Si pudiera hacer una contribución importante en mi trabajo, sería...

ALGO QUE ME GUSTARÍA CAMBIAR EN MI VIDA/TRABAJO, SERÍA...

....

....

....

SI PUDIERA CAMBIAR ALGO EN EL MUNDO, SERÍA...

....

....

....

Leete y recupera, ni que sea por unos momentos, la esencia, lo que de verdad importa.

«POR FAVOR, HAZ LO QUE TENGAS QUE HACER PARA VIVIR TU VIDA ALTO Y CLARO. POR FAVOR, ALZA LA VOZ. POR FAVOR, CREA TU PROPIA EMPRESA. POR FAVOR, PRESÉNTATE A CARGOS PÚBLICOS. POR FAVOR, FUNDA UNA ONG. POR FAVOR, PIDE ESA SUBIDA DE SALARIO Y LUCHA POR ESA PROMOCIÓN. POR FAVOR, COMPRA UNA CASA Y TEN UNA CUENTA CORRIENTE A TU NOMBRE. POR FAVOR, SÉ UNA ACTIVISTA. POR FAVOR, COMPÓN MÚSICA, ESCRIBE Y CREA ARTE. POR FAVOR, PIDE QUE SE TE VEA Y OIGA Y RESPETE. POR FAVOR, HAZ ALGO DE RUIDO EN ESTE MUNDO.»

ELIZABETH GILBERT

¿A quién imitas?[80]

«A quién intentas imitar en tu vida, ¿a las personas que admiras, o a las que envidias?» Esta pregunta se la hicieron a la escritora Elizabeth Gilbert en la casa de su amiga, la hermana Mary Scullion. La pregunta le hizo reflexionar: «La lista de personas que admiro es pequeña; pero la lista de personas que envidio es larga, y me da vergüenza. Lógicamente, debería pasar más tiempo intentando imitar a las personas a las que admiro, como mi abuela, o Nelson Mandela, en vez de la escritora Zadie Smith (cuya carrera me gustaría tener) o Scarlett Johannson (me gustan sus labios). Pero puedo decir sin dudarlo que no hay casi nadie en el mundo al que admire más que a la hermana Mary Scullion, una monja alegre, incansable y brillante que ha dedicado su vida a defender con fuerza e intensidad a los sin techo de Filadelfia. Gracias a ella, antes había miles de personas que dormían en la calle y hoy hay menos de doscientas. Espero recordar siempre que quiero imitar a la hermana Mary, y dejar fuera de mis aspiraciones los labios de Scarlett Johannson.

LA RUTINA: Escribe los nombres de las personas a las que admiras y de las personas a las que envidias. Después de cada nombre, pon entre paréntesis lo que admiras o envidias de esas personas.

PERSONAS A LAS QUE ADMIRO (Y POR QUÉ)

....

....

PERSONAS A LAS QUE ENVIDIO (Y POR QUÉ)

....

....

....

[80] Adaptada de Elizabeth Gilbert.

¿A qué estás dispuesto a renunciar?

Cuenta la escritora Elizabeth Gilbert que su sabio instructor de yoga hizo esta pregunta en clase: «¿A qué estás dispuesto a renunciar, para conseguir algo que quieres de verdad?».

Cuando pensamos y hablamos de «todo lo que quiero», es igualmente importante reflexionar acerca de lo que estás dispuesto a dejar para poder conseguir lo que de verdad te importa. La pregunta de su profesor de yoga llevó a Elizabeth a dejar de beber, porque la estaba alejando de tener la salud y la claridad mental que quería tener en su vida. También cuenta que se ha planteado dejar de cotillear, para tener la conciencia serena que siempre ha anhelado, ¡aunque admite que le está costando bastante!

LA RUTINA: ¿Y tú? ¿ A qué estás dispuesto a renunciar para conseguir eso que quieres de verdad?

ESTOY DISPUESTO A RENUNCIAR A...

....

....

....

PARA CONSEGUIR...

....

....

....

¿Has perdonado a tu joven yo?

* adaptada de Elizabeth Gilbert

«Lo pregunto porque yo no lo he hecho. No del todo. Creo que estoy tranquila y que estoy en paz conmigo misma, completamente, pero de repente me pillo de vez en cuando enfadándome con mi joven yo. Le persigo con un gran palo y me atizo por mis errores y tonterías de juventud. Generalmente, me digo cosas como «¿Cómo has podido ser un completo g...?», y los reproches suelen estar centrados en torno a las elecciones sentimentales que hice entonces... ¿Qué hay que hacer para dejar de atosigar a tu joven yo, porque no sabías entonces lo que sabes ahora? ¿Hay alguna manera de escuchar al joven yo, de dejarle expresarse, para que expliquen sus motivos? Después de todo, el joven yo tenía sus razones y solo hacía lo mejor que era capaz de hacer entonces...»

LA RUTINA: Un mensaje de mi joven yo a la persona que soy ahora.

....

....

....

....

....

....

....

«AQUELLOS DE NOSOTROS QUE ESTAMOS SANOS Y SALVOS, CALIENTES, SECOS Y BIEN ALIMENTADOS DEBEMOS DAR LA CARA POR AQUELLOS QUE ESTÁN EN PELIGRO Y HAMBRIENTOS. ES UNA REGLA DE LA VIDA. TODAS LAS TRADICIONES ÉTICAS, RELIGIOSAS Y ESPIRITUALES DEL MUNDO ESTÁN DE ACUERDO EN ESTO.»

ELIZABETH GILBERT

THECOMPASSIONCOLLECTIVE.ORG

Si pudiese volver a empezar... ¡pues vuelve a empezar!

Bronnie Ware es una enfermera australiana que ha trabajado durante años con personas que ya han vivido muchos años... A esta enfermera le llamaba la atención la claridad mental y la sabiduría que mostraban muchas de estas personas, y decidió preguntarles sobre sus experiencias de vida. Si pudiesen volver a empezar, ¿qué harían de forma diferente?

LA RUTINA: Estas son las cuatro cosas en las que casi todos estaban de acuerdo:

1 «OJALÁ HUBIESE VIVIDO COMO YO QUERÍA, NO COMO OTROS ESPERABAN DE MÍ.»

Cuando las personas miran su vida con perspectiva, se preguntan cuántos sueños han cumplido. La mayoría no cumple ni siquiera la mitad de sus sueños, y en ese momento se dan cuenta de que podían haber tomado otras decisiones y tenido otras prioridades...

La conclusión a la que llegan las personas es que cuando estamos sanos no aprovechamos toda la libertad que tenemos que vivir como realmente queremos.

2 «OJALÁ HUBIESE TENIDO LA VALENTÍA DE EXPRESAR MIS SENTIMIENTOS.»

Muchas personas le decían a la enfermera que habían reprimido sus sentimientos para no tener problemas con los demás... Pero al final de sus vidas, sentían que no había merecido la pena resignarse a vivir a medio gas, y que eso les había causado muchos sentimientos de amargura y resentimiento.

3 «OJALÁ HUBIESE SEGUIDO EN CONTACTO CON MIS AMIGOS.»

Parece ser que todos nos acordamos de nuestros amigos al final de nuestras vidas. Muchas personas se acuerdan cuando ya no es posible contactar con ellos o disfrutar de ellos. Y muchas sienten que no han dedicado suficiente tiempo y esfuerzo a mantener las relaciones con sus amistades y sus seres queridos. Sin embargo, sabemos que pocos factores son tan importantes en nuestra calidad de vida como la amistad y las buenas relaciones afectivas. Parece paradójico que vivimos en un mundo sobrepoblado y que no encontremos tiempo para conectar con los demás.

4 «OJALÁ ME HUBIESE PERMITIDO SER MÁS FELIZ.»

Esto es algo muy común entre las personas cuando reflexionan sobre su vida. Y es que muchos no se dan cuenta hasta tarde de que la felicidad es en buena parte una elección. ¿Qué nos están diciendo? Elige ser feliz...

Lo cierto es que solemos vivir atrapados en viejos patrones y hábitos emocionales, con un techo de felicidad generalmente poco ambicioso, y es que los humanos nos sentimos incluso incómodos con demasiadas emociones positivas, les ponemos techo, porque nos han enseñado que son la excepción, en vez de la norma. Y ocurre que muchas veces nos acomodamos en un supuesto bienestar relativo, aceptable a los ojos de los demás porque parece «lo normal», pero en realidad poco satisfactorio.

Así que si pudiesen volver a vivir sus vidas, esto es lo que muchas personas cambiarían: dedicarían más tiempo a vivir como realmente hubieran querían, y no como los demás esperaban de ellos; pasarían más tiempo con sus amigos y seres queridos, y se propondrían ser más creativos, más expresivos y disfrutar más de la vida.

¿Y TÚ? ¿CUÁL DE ESTAS COSAS QUIERES VIVIR PARA NO ARREPENTIRTE AL FINAL DE TU VIDA POR NO HABERLAS HECHO?

....

....

....

Agradecimientos

Escribo estas líneas y el largo camino que arrancó en la primera idea, apenas una intuición, de cómo iba a ser *El libro de las pequeñas revoluciones*, hasta su última revisión, ahora mismo está llegando a su fin. Y antes de que el libro te encuentre a ti, ya solo me queda dejar aquí, en público, los nombres de todos aquellos que, de una u otra manera, me han acompañado para hacerlo posible.

Mi gratitud y reconocimiento al apoyo siempre positivo de mi editor, Emili Rosales. Un gracias largo y extenso, como las horas que hemos compartido, a Rosa María Prats, por coordinar tan inteligentemente una edición compleja y novedosa. También a Antònia Arrom, por su incansable y vibrante trabajo de ilustración y diseño. Mil gracias además a todo un gran equipo: a Anna Soldevila, la editora responsable; a Alba Fité, desde prensa, por acompañarnos con eficacia y alegría para hacer llegar el mensaje a los medios; a Marta Oliva y Yolanda Bolsa, por su labor en marketing; a los técnicos editoriales, asistentes y realizadores Alba Serrano, Sonia Casals, Mario García y Rosa Hurtado, y a Sabrina Rinaldi por su diseño de cubierta.

Y por último, un enorme gracias a Francesc, con quien tantos buenos momentos, alegría e inspiración comparto, y quien además me ha regalado la música que me ha acompañado mientras escribía este libro. ¡Quisiera compartirla aquí con vosotros! Podéis encontrarla en mi web, elsapunset.com.